BIBEL ANDENKEN 2015

Betrachtungen zu Jahreslosung
und Monatssprüchen

mit Bibelarbeiten,
Andachtsentwürfen,
Texten, Liedern
und Grafiken

edition aej

Impressum

Herausgeber:
Arbeitsgemeinschaft der Landesjugendpfarrerinnen
und Landesjugendpfarrer in Deutschland
und Arbeitsgemeinschaft der Evangelischen Jugend
in Deutschland e.V. (aej)

Redaktion:
Ruth Fenko
Hilke Klüver
Jörn Möller
Manuela Ertel

edition aej
Arbeitsgemeinschaft der Evangelischen Jugend
in Deutschland e.V.
Otto-Brenner-Straße 9
30159 Hannover
Telefon (0511) 1215-0
Telefax (0511) 1215-299
Internet: www.evangelische-jugend.de
www.evangelisches-infoportal.de
www.jupp-der-preis.de

Titelseite:
© Vera Neelen

Innenteil:
© Waldemar Schmalz, Solingen. Das nachfolgend näher beschriebene Projekt habe ich mit den Ehrenamtlichen unserer Gemeinde in den Kindergruppen und bei den Ferienaktionen durchgeführt. Im Rahmen der o.g. Aktionen haben wir zur Losung 2015 verschiedene Installationen kreiert und passende Fotomotive gesucht. Das Thema gegenseitige Annahme ist dabei immer Thema. Zentrum für eine funktionierende Gemeinschaft! Es haben sich ca. 80 Kinder und Jugendliche an diesem Projekt beteiligt.

Layout:
Gotthard Mohrmann

Satz und Druck:
MHD Druck und Service GmbH, Hermannsburg

ISBN 978-3-88862-107-9
ISBN 978-3-88862-108-6

FSC www.fsc.org
MIX
Papier aus verantwortungsvollen Quellen
FSC® C019225

Inhalt

E = Einheitsübersetzung • L = Luther-Übersetzung

Zum Titelbild

Jahreslosung 2015:

Nehmt einander an,
wie Christus euch
angenommen hat,
zu Gottes Lob.

Römer 15,7 (L)

Zum Titelbild: ***Beschwingte farbige Elemente tanzen vor einem dunklen Hintergrund. Scheinbare Gegensätze, die einander bedingen wie Licht und Schatten und die in ihrer Unterschiedlichkeit die Fantasie des Betrachters anregen.***

Die Akzeptanz von Farbe und Nichtfarbe, Starrheit und Bewegung führt dazu, dass diese unterschiedlichen Paarungen einander annehmen und ein Ganzes ergeben. Erst vor dem dunklen Hintergrund können schließlich die Farben ihre Leuchtkraft entwickeln.

Das Bild ist während eines Wochenendes in Lauenstein zu Füßen der Ith-Klippen – ein Kletterparadies und Ort zum Wohlfühlen im Leinetal – entstanden.

Künstlerin: *Vera Neelen, geboren 1960, lebt in Elze und arbeitet in Hannover. Sie ist ausgebildete Diplom-Textildesignerin (FH Hannover).*
www.kunstliebling.de

Vorwort Bibel AnDenken 2015

Liebe Leserin, lieber Leser!

„Wer von ihm [von Gott] redet, ohne sich dabei in Widersprüche zu verwickeln, redet wahrscheinlich nicht mehr von ihm oder jedenfalls an ihm vorbei." *(Kurt Marti: Gott im Diesseits. Versuche zu verstehen © 2005 by Radius-Verlag, Stuttgart)* Das schreibt der Schweizer Pfarrer und Schriftsteller Kurt Marti.

Dreizehn Beiträge in diesem Bibel AnDenken wollen von Gott reden. Erwarten Sie keine glatten, klaren Antworten oder Anweisungen. Möglicherweise werden Sie an manchen Stellen Widerspruch erheben, aber das gehört dazu.

Das Zitat von Kurt Marti lässt sich noch ergänzen: Wer von Jugendlichen und mit Jugendlichen redet, verwickelt sich in Widersprüche. Die vorliegenden Betrachtungen zu den Monatssprüchen und der Jahreslosung wollen die Welt der evangelischen Jugendarbeit und die Welt der Bibel miteinander ins Gespräch bringen. Auch das geht nicht ohne Widersprüche.

Wie sollte es auch anders sein? Die Bibelverse sind 2000 Jahre und älter. Sie atmen den Geist ihrer Zeit. Sie behandeln Themen und Probleme, in die wir uns oft nur schwer hineinversetzen können. Und doch ereignet sich immer wieder der Brückenschlag. Ein biblisches Wort berührt mich plötzlich. Es spricht mich an, es geht mich etwas an, es hat mit mir und meinem Leben zu tun.

Vielleicht passiert Ihnen das bei einem der Monatssprüche. Sie finden einen bunten Strauß von Themen, die die einzelnen Beiträge präsentieren. Wo werden Sie sich wiederfinden? Und wovon können diejenigen, mit denen Sie die Bibelarbeiten teilen, sich angesprochen fühlen?

Kurt Marti hat sein Zitat oben noch ergänzt: Er sagt: „Gott ist größer als jedes Reden über ihn. Er ist auch ganz anders, als wir in unserem Reden meinen.“ *(Kurt Marti: Gott im Diesseits. Versuche zu verstehen © 2005 by Radius-Verlag, Stuttgart)*

Und trotzdem versuchen wir es. Und wir dürfen uns dabei gerne in Widersprüche verwickeln.

Ich wünsche Ihnen, liebe Leserin, lieber Leser, dass Sie sich verwickeln lassen in die Versuche, von Gott zu reden.

Bernhard Schmeing
Vorsitzender der Arbeitsgemeinschaft der Landesjugendpfarrerinnen und Landesjugendpfarrer in Deutschland

Mike Corsa
Generalsekretär der Arbeitsgemeinschaft der Evangelischen Jugend in Deutschland e.V. (aej)

ZUM GEBRAUCH

Die verschiedenen Beiträge haben denselben Aufbau.
Dabei bedeutet:

Symbol 1

Gedanken. Erste Einfälle werden notiert. Spielerisch und tastend werden Gedanken zum Bibeltext hin entwickelt.

Symbol 2

Biblisch-exegetische Überlegungen verdeutlichen den zeitgeschichtlichen und theologischen Hintergrund der Texte. Verschiedene Gedankenrichtungen werden hier gesammelt und auf das Wesentliche konzentriert. Eine mögliche Auslegung wird angeboten.

Symbol 3

Die vielgestaltige Lebenssituation Jugendlicher ist hier das Gegenüber. Gedanken werden in die Situation hinein umgesetzt. Anstöße werden gegeben, das Umfeld mit einbezogen und Situationen beschrieben.

Symbol 4

Anregungen für die Praxis: Sie bieten vielfältige Möglichkeiten der methodischen Umsetzung. Dazu gehören meist eine ausformulierte Andacht und Modelle für die Gruppenarbeit.

Jahreslosung

Nehmt einander an,
wie Christus euch angenommen hat,
zu Gottes Lob.
Römer 15,7 (L)

SOLIDARISCH HANDELN

Ein wichtiger Satz

Es klingt zwar ein wenig altmodisch, ist aber heute noch immer so wichtig wie damals. „Einander annehmen" könnte übersetzt werden mit: achtet aufeinander, helft einander, vertraut euch. Einander annehmen hat viel mit Freundschaft zu tun. Wer einen Freund hat, hilft dem anderen und achtet auf ihn. Das passiert fast automatisch.

„Nehmt einander an" – für das Zusammenleben unserer Gesellschaft auch im Weltmaßstab ist der Satz des Paulus wichtig. Er wäre dann am ehesten mit „Solidarität" zu übersetzen. Die gesellschaftlichen Konflikte zwischen der südlichen und der nördlichen Hemisphäre, der Kampf um Rohstoffe, der Zugang zu Wasser, die Sicherstellung der Teilhabe aller Menschen an Demokratie und Wohlstand machen eine Haltung notwendig, die sich an der Solidarität orientiert. Solidarisch Handeln bedeutet, einen Perspektivwechsel einzuleiten: Es bedeutet, den anderen in den Mittelpunkt des eigenen Denkens zu stellen und die eigenen Interessen mit denen der anderen in Ausgleich zu bringen.

Einander annehmen und den Fremden zum Freund zu machen – das hat persönliche und politische Dimensionen. Der Satz des Apostels Paulus ist deshalb heute noch ebenso brisant wie vor fast 2000 Jahren.

Ein wichtiger Satz in einem wichtigen Brief

Der Römerbrief gilt als das Vermächtnis des Apostels Paulus. Er schreibt ihn an die christliche Gemeinde in Rom kurz vor seiner geplanten Reise nach Spanien.

In diesem Brief behandelt er alle Themen, die Christen damals bewegt haben und die heute nichts an Bedeutung verloren haben: Wie werde ich vor Gott gerecht (das war auch Luthers wichtigste theologische Frage), was bedeutet die Taufe, was ist der Heilige Geist, wie gehen Christen mit der Verheißung Gottes an das Volk Israel um, welche Stellung haben Christen den Machthabern gegenüber, wie sollen Christen miteinander und in der Gesellschaft leben – die Themen sind vielfältig. Paulus schreibt diesen Brief in einem versöhnlichen Grundton. Verglichen mit anderen Briefen ist der Römerbrief weniger polemisch und angriffslustig. Er stellt damit auch die theologischen Weichen für das zukünftige Zusammenleben der Christen in und mit der Welt, mit Obrigkeit und mit anderen Religionen.

Der Satz der Jahreslosung steht fast am Ende des Briefes. In der antiken Rhetorik sind Anfang und Schluss von Reden oder Briefen besonders wichtig. Der Anfang sorgt für die Aufmerksamkeit, der Schluss bleibt beim Leser/Hörer besonders hängen. In vielen Briefen sind die Schlusskapitel besonders dem Zusammenleben der Christen gewidmet. Das zeigt: Es geht um wichtige Dinge. Die hohe Theologie der vorangegangenen Kapitel wird jetzt auf das konkrete Miteinander bezogen. Paulus gibt den Christen damit Deutungskompetenz und Handlungswissen an die Hand und hilft den jungen Gemeinden damit, sich in der Welt zu orientieren.

Unter Freunden ist es selbstverständlich, einander anzunehmen. In der frühen Christenheit war das keine Frage der Freundschaft, sondern des Überlebens. Die Christen waren eine Minderheit in der Gesellschaft. Sie waren Außenseiter, wenig beachtet, misstrauisch beäugt oder verfolgt. Christen mussten sich deshalb umso mehr aufeinander verlassen können. Sie waren darauf angewiesen, einander zu vertrauen. Wer sich als Christ bekannte, war auf die Unterstützung anderer Christen angewiesen: oft einschließlich einem Dach über dem Kopf und einer warmen Mahlzeit in den Hausgemeinden.

Gemeinden waren deshalb auch immer ein Schutzraum. Den Witwen und Waisen beispielsweise wurde besondere Beachtung geschenkt (das erste Amt der christlichen Gemeinde war deshalb auch ein Diakon). Solidarität war eine christliche Tugend, die den Menschen half, in einer ungewissen Situation zu überleben. Solidarität als einen Anspruch Gottes zu verstehen, hat aber über diese Anfänge hinaus auch das Leben unserer Gesellschaft geprägt. Sie war der kritische Maßstab, an dem gesellschaftliches Miteinander gemessen werden konnte. Den alten göttlichen Auftrag der Propheten, als kritisches Gegenüber auch die Mächtigen der Welt in ihre Schranken zu weisen, hat auch die christliche Gemeinde geerbt. Deshalb sind Kirche und Gemeinde noch immer gute Orte für die, die für das gerechte Miteinander in unserer Welt Verantwortung übernehmen möchten. Junge Menschen sind hier als Freunde besonders willkommen.

Christen folgen damit dem Vorbild Jesu und geben an andere weiter, was sie selbst von Gott geschenkt bekommen haben. Freundlichkeit und Freundschaft den Menschen gegenüber sind in Gemeinde und Kirche darum auch immer mehr als ein zwischenmenschlich anständiges Verhalten. Die Freundschaft Gottes zu seinen Menschen ist der Grund und das Motiv dafür, dass wir auch andere als unsere Freunde sehen und behandeln können.

Ein wichtiger Satz für junge Leute

Freunde sind für Jugendliche wichtig. Wir wissen, dass Freunde auch einer der wichtigsten Gründe dafür sind, sich in der Jugendarbeit zu Hause zu fühlen. Wenn die Freunde nicht mitkommen, geht man selbst auch nicht hin. Wenn Freunde da sind, komme ich auch leichter dazu.

Untersuchungen zu Lebensbedingungen, Einstellungen und Wünschen junger Menschen belegen das: Freunde, Familie oder Gemeinschaft haben einen großen Wert für junge Leute. Die Beziehungen im persönlichen Nahbereich haben stabilisierende Funktion für den Start ins eigene Leben. Sie helfen, den zunehmenden Wegfall von „Normalbiografien“ und die immer stärker individualisierten Bildungsverläufe auszugleichen, indem sie als persönliches Netzwerk, als doppelter Boden für die persönliche und berufliche Entwicklung dienen.

Einander annehmen – das gehört zu den großen Selbstverständlichkeiten im persönlichen Umfeld junger Menschen. Die Mahnung des Apostels fällt bei jungen Menschen auch deshalb auf fruchtbaren Boden, weil sie ohnehin stark auf ihre Peergroup bezogen sind.

Soziologische Untersuchungen zeigen aber auch, dass Freundschaften an Grenzen stoßen können. Jugendliche können und wollen nicht mit allen befreundet sein. Es gibt manchmal sehr klare Distinktionsgrenzen zwischen den unterschiedlichen Lebenswelten. Der Musikstil, die Kleidung, der Schultyp, Geld und gesellschaftliche Stellung der Eltern: Das alles trennt junge Leute auch voneinander. Mit allen will und kann man nicht, aber wer zu den Freunden gehört, dem fühlt man sich verbunden.

Junge Menschen haben ein besonderes Sensorium für Gerechtigkeitsfragen und leiden besonders an Ungerechtigkeit. Vielen jungen Menschen auf der Welt verstellen ungerechte politische Strukturen und ungleiche wirtschaftliche Verhältnisse den Weg ins Leben. Die wachsende Jugendarbeitslosigkeit in den europäischen Staaten, frühe Gewalterfahrungen in afrikanischen Ländern, marode Bildungssysteme, Unterdrückung und Ausbeutung machen insbesondere jungen Menschen in vielen Ländern der Welt zu schaffen. Einander anzunehmen ist nicht nur die Mahnung des Apostels, sie enthält zugleich den Anspruch auf Leben für alle Menschen überall auf der Welt.

Derzeit wird das auch unter dem Stichwort „Inklusion" diskutiert. Inklusion bedeutet danach nicht nur die Integration von Behinderten und Nicht-Behinderten, sondern die Akzeptanz der Unterschiedlichkeit von Menschen. Alte und Junge, Arme und Reiche, Nichtbehinderte und Behinderte, Frauen und Männer, Menschen in gleichgeschlechtlichen Partnerschaften und Menschen in heterosexuellen Partnerschaften – alle gehören in ihrer Unterschiedlichkeit zusammen und sollen miteinander gut auskommen. Auch in unseren Jugendverbänden kann man Erfahrungen damit machen, wie wir uns in dieser Vielfalt annehmen können.

Du bist wichtig

Andacht

Der Sonntagsgottesdienst ist nicht für alle Gemeindeglieder das Highlight in der Woche. Manchen ist die Musik zu orgellastig, die Predigt zu lebensfern, die Stimmung nicht fröhlich genug, oder es sind einfach die Freunde nicht mit dabei.

Das gemeinsame Hören auf die Bibel, das gemeinsame Gebet, die Ausrichtung auf Gottes Willen für unser Leben und das Lob Gottes sind nötige Bestandteile christlicher Lebenspraxis. Aber nicht alle machen das in den gleichen Formen. Junge Leute finden andere Orte, an denen sie das mit ihren Freunden machen können. Die Jugendgruppe am Freitagabend, das Lagerfeuer bei der Freizeit, der Jugendgottesdienst in der Jugendkirche – es gibt Orte und Zeiten, die liegen jungen Leuten mehr als der sonntägliche Gottesdienst um 10 Uhr morgens.

Es ist deshalb gut, dass es Worte in der Bibel gibt, die das Lob Gottes in den Alltag hinüberziehen. Die Jahreslosung stammt aus dem Brief des Apostels Paulus an die Gemeinde in Rom: „Nehmt einander an wie Christus euch angenommen hat zu Gottes Lob."

Das Lob Gottes ist danach etwas für jeden Tag des Lebens. Und nicht nur im Singen, Hören oder Beten tun wir etwas dafür, sondern auch in der Art und Weise, wie wir mit anderen Menschen umgehen. Einander annehmen – sinngemäß ist das eine andere Formulierung für Freundschaft. Meinem Freund vertraue ich. Meinem Freund helfe ich, wenn er mich braucht. Paulus sagt der Gemeinde im Römerbrief und den Christen heute, dass wir Freunde für andere sein können, weil Gott unser Freund ist. Gott kann uns zumuten, andere Menschen anzunehmen, weil er uns schon vorher angenommen hat. Wir geben also etwas weiter, was wir selbst bekommen haben. Freundschaft ist ein Geschenk für mich und für andere. Damit loben wir Gott jeden Tag.

Für Christen ist damit viel verbunden. Wenn ich von Jesus Christus angenommen bin, dann spielt es grundsätzlich keine Rolle, ob ich ein Außenseiter oder ein Spitzenreiter bin. Wenn ich von Jesus angenommen bin, dann mit allen meinen Stärken und Schwächen. Wenn ich von Jesus angenommen bin, dann habe ich die Chance, Fehler zu machen und wieder neu zu beginnen. Wenn ich von Jesus angenommen bin, habe ich die Verpflichtung, das auch weiterzugeben.

Einander annehmen hat viel mit Freundschaft zu tun. Wer einen Freund hat, hilft dem anderen und achtet auf ihn. Junge Leute machen das fast automatisch. Es passt zu dem, was auch sonst wichtig ist im Leben.

Sicher, nicht alle werden meine Freunde sein können. Manche bleiben mir unsympathisch, ich mag ihre Musik nicht und finde ihre Klamotten hässlich. Einander annehmen ist manchmal eine schwere Aufgabe. Vielleicht muss ich mich mit anderen absprechen und jemanden suchen, der die Menschen annimmt, die ich nicht annehmen kann. In der Gemeinde ist vieles möglich.

„Nehmt einander an" – für das Zusammenleben unserer Gesellschaft ist der Satz des Paulus aber auch im Weltmaßstab wichtig. Wir müssen nicht alle zu Freunden machen, aber im politischen Bereich ist „Solidarität" vielleicht die treffendste Übersetzung für „einander annehmen". Wer solidarisch ist, der nimmt einen Perspektivwechsel vor und stellt die Bedürfnisse anderer Menschen in den Mittelpunkt des eigenen Denkens. So wie Gott das bei uns macht, haben wir eine Verantwortung auch für die gerechte Verteilung der Ressourcen und für gerechte Teilhabe aller Menschen am gesellschaftlichen Leben und Wohlstand.

Paulus zieht das Lob Gottes in unseren Alltag. Jeden Tag auch dieses Jahres werden wir damit zu tun haben, mit Fremden solidarisch zu sein und mit Freunden die Welt in Gottes Namen umzugestalten. Als Freunde Gottes folgen wir damit Jesus Christus und sind auf dem Weg in Gottes neue Welt. Auch das ist unser Gottesdienst. Er ist ein Highlight für die Freunde und ein Lob Gottes.

Amen.

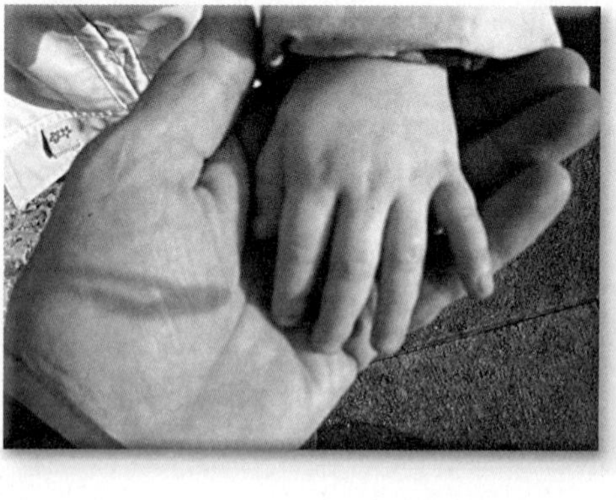

***F**ürbitte für Israel und die Völker*
Gott des Friedens,
gib deinem Volk und deinen Völkern eine gemeinsame Sprache,
die hilft, Mauern zu überwinden.
Gott der Gerechtigkeit,
gib deinem Volk und deinen Völkern den Mut,
Erde, Luft und Wasser miteinander zu teilen.
Gott des Lebens,
gib deinem Volk und deinen Völkern die Kraft,
sich auf die Seite des Lebens
und nicht auf die Seite des Todes zu stellen.

Durch Hohes und Tiefes (HuT) 520

Glaubensbekenntnis von Dorothee Sölle

Ich glaube an Jesus Christus,
Sohn des Lebens, Bruder der Menschen,
Erstgeborener der Schöpfung,
der uns an unsere Geschwister erinnert,
die Bäume und die Vögel des Himmels,
Schwester Wasser und Bruder Feuer.
Er verbindet uns mit allem, was lebt
auf unserem kleinen Planeten Erde.

Ich glaube an Jesus,
den Sohn des Lebens,
der uns geschenkt wird,
damit wir es weiterverschenken.
Er hat die Kranken geheilt und die Traurigen,
er hat die Hungrigen gespeist
und die Verzweifelten,
ein Mitarbeiter der Schöpfung,
die weitergeht an jedem Tag
in unserer Arbeit,
wenn wir unseren Planeten vor der Plünderung schützen,
unseren kleinen Planeten Erde.

Ich glaube an Jesus,
Sohn des Lebens und einer armen Mutter,
politischer Gefangener unter Pontius Pilatus,
zu Tode gefoltert auch heute
in den Polizeikellern, Lagern und Kriegen,
die wir immer noch dulden
auf unserem kleinen Planeten Erde.

Ich glaube an Jesus,
den Erstgeborenen aus dem Tode.
Sie konnten ihn nicht fertigmachen,
er ist von den Toten auferstanden,
er verbindet uns mit den Toten vor uns,
um die wir trauern,
und den Toten neben uns,
die wir nicht gerettet haben.
Sie alle sind unsere Schwestern und Brüder
auf dem kleinen Planeten Erde.

Ich glaube an Jesus Christus,
Kind des Lebens,
eine Schwester für alle Menschen,
die Wahrheit, die uns frei machen wird,
vor dem Zwang, auszubeuten
und aus dem Tode Profit zu schlagen.

In Christus spüren wir den Geist des Lebens
in einer todessüchtigen Welt.
Wir stehen auf, mit ihm zu kämpfen,
zu leiden und unser Leben zu geben,
bis Gott sei alles in allem
auf unserem kleinen Planeten Erde.
Amen.

Dorothee Sölle. Aus Dorothee Sölle/Luise Schottroff „Die Erde gehört Gott". Wuppertal 1995. Mit freundlicher Genehmigung von Prof. Fulbert Steffensky. (HuT 525)

Segen

Gott nimmt dich an und wird dein Freund.
Geh mit Gottes Segen in die Welt
und reiße die Mauern ein, die uns trennen.
Geh mit Gottes Segen in die Welt
und baue Brücken über die Gräben und zwischen den Hütten und Palästen.
Geh hinaus mit Gottes Segen und nimm dich der Menschen an.
Gott segne dich.

Lieder

Da berühren sich Himmel und Erde	*HuT 332*
Damit aus Fremden Freunde werden	*HuT 353*
Meine engen Grenzen	*HuT 163*

Dr. Thomas Schalla

INRI

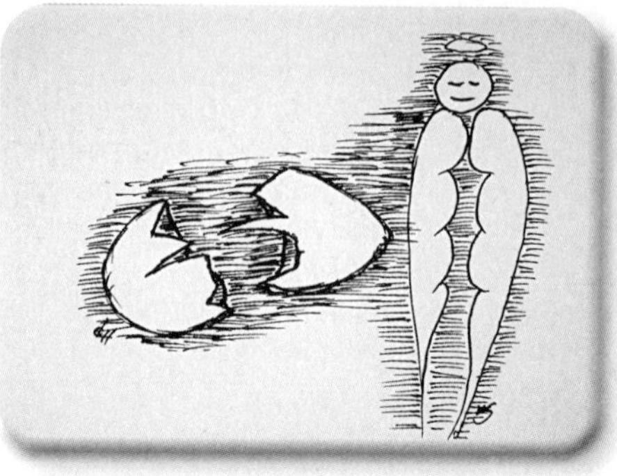

Januar

So lange die Erde besteht,
sollen nicht aufhören Aussaat
und Ernte, Kälte und Hitze, Sommer
und Winter, Tag und Nacht.

Genesis 8,22 (E)

DAS VERSPRECHEN – ES GESCHAH AM REGENBEWÖLKTEN TAG

Gute Vorsätze

Erster Vorsatz:

Hast du schon gute Vorsätze für 2015? Vielleicht: mehr für die Schule tun, sich gesünder ernähren, weniger am PC daddeln, weniger shoppen, mehr Sport …? Ist bestimmt alles löblich, aber auch langweilig. Jedes Jahr dasselbe und dann auch noch eine miserable Erfolgs- und Durchhaltequote. Das Wissen darum motiviert nicht gerade. Wie wäre es da mal mit einer Abwechslung? Im Netz findest du den „Vorsatz-O-mat“! Man braucht ihn so wenig wie Hustenbonbons, aber „Wer hat's erfunden?“ Richtig: die Schweizer. Zu finden unter: *www.vorsatzomat.ch*

Mit jedem Klick, bei dem sich vier Wortwalzen drehen und wie bei einem Glücksspielautomaten willkürlich stoppen, erhältst du einen neuen individuell kreierten Vorsatz: „Dienstags Premium-Pickel beseitigen.“ „Zweimal himmlische Künstler ehren.“ „Samstags parfümierte Experten necken.“ „Mittags Müll-Pommes abgewöhnen“ oder „In den Pausen Plastik-Wahrheiten entsorgen.“ Vieles ist totaler Nonsens, aber manches ist mit einigen kreativen Ideen möglicherweise tatsächlich umsetzbar und macht gute Laune.

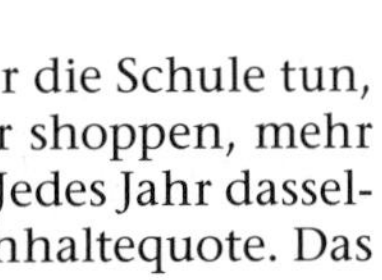

Zweiter Vorsatz:

Vorsatz ist ein merkwürdiges Wort mit einer Licht- und einer Schattenseite.

Häufig begegnet uns das Wort im Strafrecht, wenn ein Täter vorsätzlich eine Tat begangen hat. Also einen finsteren Plan hatte.

Aber es gibt eben auch die guten Pläne, die Vorhaben, etwas positiv zu verändern – der gute Vorsatz!

Dritter Vorsatz:

Gott hatte vorsätzlich – aus Enttäuschung über die Menschen – die Menschheit durch die Sintflut vernichten wollen. Aber nach der Sintflut, mit Blick auf die Überlebenden aus der Arche, einen guten Vorsatz getroffen: Er bereute seine Tat und versprach, die Menschheit nie wieder zu zerstören: „So lange die Erde besteht, sollen nicht aufhören Aussaat und Ernte, Kälte und Hitze, Sommer und Winter, Tag und Nacht.“ Genesis 8, 22 (E)

Mensch, ärgere mich nicht ...

So hatte sich Gott die Geschichte von der Menschheit nicht vorgestellt. Geschaffen hatte er sie zu seinem Bilde, und er hatte seine Schöpfung und auch die menschlichen Geschöpfe als sehr gut befunden. Aber dann kam die bittere Erkenntnis: Die Sache mit der Menschlichkeit lief nicht nach Plan! Erst der Sündenfall, dann Kain und Abel und der Brudermord, und insgesamt scheint es nicht gut um das Wesen „Mensch“ bestellt zu sein.

Gottes Fazit ist düster, dass „alles Dichten und Trachten des menschlichen Herzens böse sei“. (1. Mose 6, 5 nach Luther) Das Denken und Verhalten der Menschen entspricht nicht dem Bild, das Gott von ihnen hat. Enttäuschung über sein eigenes Werk und Wut machen sich breit. Gott beschließt, seine Schöpfung zu vernichten. Es tut ihm leid, die Menschen je geschaffen zu haben. Und so schickt er die riesige Flut über die Erde, vor der er nur Familie Noah und je ein Paar einer jeden Tierart rettet.

Als Noah nach der Flut wieder trockenen Fußes auf der Erde steht, baut er Gott einen Altar und bringt ihm ein Brandopfer dar. Welche Tiere mag er wohl geopfert haben? Hatte er Tiere in der Arche, die die Flut nur überleben sollten, um direkt danach als Brandopfer zu enden? Oder war Noah doch nicht so gehorsam gewesen und hatte gegen Gottes Anweisungen von manchen Tierarten, ein P(p)aar mehr als Reserve mitgenommen? Die letzte Vermutung passt zumindest in das Bild, das Gott nun vom Menschen hat.

Auch wenn Gott der Geruch des Brandopfers gefällt und er sich fast menschlich geschmeichelt fühlt, ist er sich im Klaren darüber, dass auch Noah und seine Familie nicht völlig arglos sind.

Die Einschätzung Gottes über Schuldhaftigkeit und Unvermögen des Menschen ist auch nach der Sintflut nicht besser geworden, aber es gibt etwas, das größer ist als seine Enttäuschung: Es ist seine Liebe, die so stark ist, dass er die Sintflut bereut und verspricht, nie wieder die Menschen und seine Schöpfung vernichten zu wollen. Der Mensch soll dieses Versprechen Gottes immer erkennen können, indem Gott notwendige Rahmenbedingungen des menschlichen Lebens schafft: Solange die Erde besteht, sollen nicht aufhören Aussaat und Ernte, Kälte und Hitze, Sommer und Winter, Tag und Nacht. Genesis (= 1. Mose) 8, 22 (E)

Grundbedürfnisse des Menschen sind damit gedeckt: Der Mensch braucht Nahrung, ein ausgewogenes Klima, einen verlässlichen Jahresrhythmus, Arbeitszeiten und Ruhephasen. Als sinnbildliche Bekräftigung setzt Gott den Regenbogen an den Himmel, der ebenfalls, wann immer er erscheint, die Menschen an diesen Bund und dieses Versprechen Gottes, das mehr ist als ein guter Vorsatz, erinnern soll.

Was brauchst du?

Gott schafft eine Ordnung, Rahmenbedingungen, die ein Mensch im damaligen Palästina benötigte, um leben zu können. Die wichtigsten Komponenten: Aussaat und Ernte, Kälte und Hitze, Sommer und Winter, Tag und Nacht! Was braucht ein Mensch heute, was brauchen Kinder und Jugendliche heute zum Leben, welche ihr Leben schützenden Rahmenbedingungen?

Das ist in einer individualisierten Gesellschaft sicher nicht so einfach zu beantworten. Es gibt nicht mehr DIE Normalbiografie, in der Jugendliche automatisch ein Aufwachsen bei ihren beiden miteinander verheirateten

Eltern erleben, Schule, Ausbildung und danach das Ergreifen *eines* Berufs, in *einem* Unternehmen bis zum Ruhestand, das Leben an *einem* festen Wohnort verbunden mit dem Gründen *einer* eigenen Familie.

Die Unvorhersehbarkeit auch der eigenen Zukunft führt zu Flexibilität und einem hohen Maß an Individualisierung. Gleichzeitig erleben Jugendliche aber auch eine stetig wachsende gesellschaftliche und kulturelle Pluralisierung. Sie wachsen mit dem Erleben auf, dass es neben dem, was sie in ihrer Herkunftsfamilie kennengelernt haben, durchaus unterschiedliche Verhaltensweisen, Denkformen und religiöse Ausrichtungen gibt. Eine eigene Position muss immer wieder neu bestimmt und nicht selten vor anderen verteidigt und begründet werden.

Rahmenbedingungen, die heute allgemein für Kinder und Jugendliche gelten sollten, finden wir in der UN-Kinderrechtskonvention, gültig für alle Menschen von 0–18 Jahren. Zum Beispiel: Artikel 19 *Schutz vor Gewaltanwendung, Misshandlung, Verwahrlosung* oder: Artikel 24: *Gesundheitsvorsorge* („Die Vertragsstaaten erkennen das Recht des Kindes auf das erreichbare Höchstmaß an Gesundheit an sowie auf Inanspruchnahme von Einrichtungen zur Behandlung von Krankheiten und zur Wiederherstellung der Gesundheit …").

Wenn es in der Bibel heißt, Aussaat und Ernte sollen nicht aufhören, dann spiegelt sich diese Rahmenbedingung für mich in Artikel 27 wider: *Angemessene Lebensbedingungen; Unterhalt*: „Die Vertragsstaaten erkennen das Recht jedes Kindes auf einen seiner körperlichen, geistigen, seelischen, sittlichen und sozialen Entwicklung angemessenen Lebensstandard an …"

Und wenn Gott als eine Rahmenbedingung Tag und Nacht benennt, dann beinhaltet das auch Aktion und Schlaf, Arbeit und Freizeit, wie die UN-Konvention es im folgenden Artikel beschreibt: Artikel 31 *Beteiligung an Freizeit, kulturellem und künstlerischem Leben, staatliche Förderung*: „Die Vertragsstaaten erkennen das Recht des Kindes auf Ruhe und Freizeit an, auf Spiel und altersgemäße aktive Erholung sowie auf freie Teilnahme am kulturellen und künstlerischen Leben …"

Mehr dazu findet sich unter:

http://www.kinderrechtskonvention.info/uebereinkommen-ueber-die-rechte-des-kindes-370/

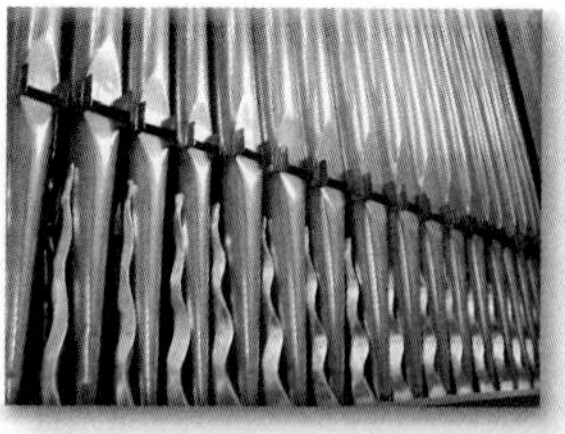

Und fragt man Jugendliche selber, was für sie wichtige Rahmenbedingungen des Lebens sind, bekommt man Aussagen, wie sie auch in der Shell Jugendstudie 2010 festgehalten wurden:

Wertorientierungen: Pragmatisch, aber nicht angepasst

Jugendliche im Alter von 12 bis 25 Jahren (Angaben in %)

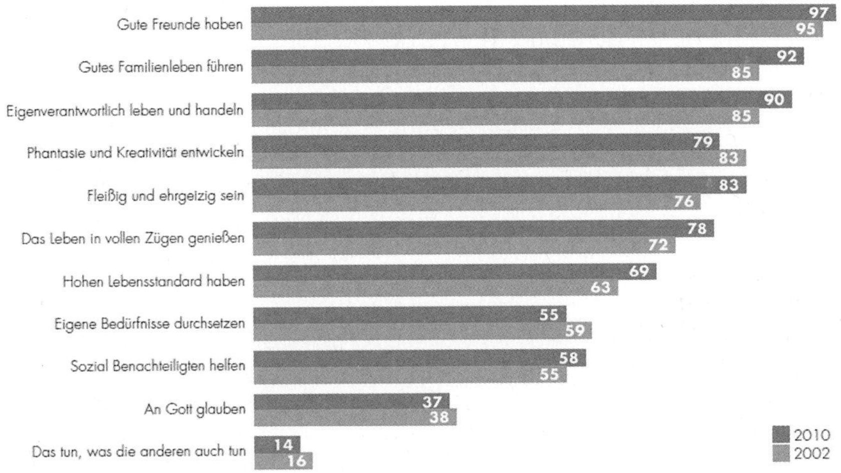

Quelle: Shell Jugendstudie. Jugend 2010

Ordnung ist das halbe Leben …

Zur Vorbereitung:

Weiße Papiere, auf denen der Vers aus Genesis 8, 2 gedruckt ist und auf denen Scherben von vorher auseinandergeschnittenen alten CDs mit der bedruckten Seite nach unten aufgeklebt sind. Es sollte noch genug Platz für eigene Notizen auf dem Blatt sein. Stifte bereitstellen. Eventuell für das Einspielen des Werbefilmes und des Liedes (s. u.) die nötigen technischen Vorbereitungen treffen (Beamer, Laptop, Internetverbindung, Leinwand, Lautsprecher …)

Andacht:

Votum: „Es ist dir gesagt, Mensch, was gut ist und was der Herr von dir fordert, nämlich Gottes Wort halten und Liebe üben und demütig sein vor deinem Gott.“ (Micha 6, 8) So feiern wir diese Andacht im Namen des Vaters und des Sohnes und des Heiligen Geistes. Amen.

Gebet

Gott, am Anfang eines neuen Jahres gehen die einen zielstrebig mit einer fertigen To-do-Liste los, die anderen setzen eher planlos etwas zaghaft den einen Fuß vor den anderen, in der Hoffnung, den Halt nicht zu verlieren.
Schenk uns einen Moment Gemeinschaft mit dir und anderen.
Lass, was uns in Kopf und Herz kreist, was aufwühlt und beschäftigt, für ein paar Minuten in den Hintergrund treten.
Gib uns Respekt und Gelassenheit, Glaube und Zweifel, Erschrockenheit und Mut. Amen.

Lied: *Komm, wir brechen auf …* *in: HuT 409*

Solange die Erde besteht, sollen nicht aufhören Aussaat und Ernte, Kälte und Hitze, Sommer und Winter, Tag und Nacht. (Genesis 8, 22)

Da liegt ein neues Jahr vor uns wie ein weißes Blatt Papier. Was mag es bringen? Jemand sagte mal: „Man kann gar nicht so krumm gucken, wie es kommt.“ Der eine oder andere Plan für 2015 ist zwar schon geschrieben, Ziele mögen gesteckt sein. Was wird mir auf meinem Lebensweg begegnen? Ich weiß es nicht und spüre nur, wie sich freudige Erwartung und ängstliche Befürchtungen die Waage halten.

Ein noch weißes Blatt Papier ist auch jenes, das ich vor mir habe, um feierlich ein paar gute Vorsätze für das neue Jahr festzuhalten, aber es ist ein mühsames Geschäft. Entweder fallen mir total banale Sachen ein (immer zeitnah aufräumen!) oder der großherzige Verzicht auf Dinge, die ich sowieso nur im Notfall anrühren würde (Rosenkohl) oder die total steilen Überforderungen, vor denen ich schon in den ersten Wochen der letzten Jahre rekapitulieren musste (nie wieder Schokolade!).

Ist doch alles Blödsinn, denke ich! Und ärgere mich, den Vorsatz vom letzten Jahr, mir nie wieder gute Vorsätze fürs neue Jahr vorzunehmen, gebrochen zu haben. Und das nur, weil eine Psychologin in einer Talkshow eindrucksvoll erklärte, dass gute Vorsätze zu fassen, unfassbar sinnvoll und gesund sei. Also grüble ich weiter und lande bei der vierten Kategorie guter Vorsätze, die mir in der Erinnerung die Schamesröte ins Gesicht treiben und sich zusammenfassen lassen mit Kurt Tucholskys Zitat: „Der Gegensatz von Gut ist nicht Böse, sondern gut gemeint!“

(An dieser Stelle Film einspielen
http://www.youtube.com/watch?v=T_BSgDVFIY8
oder mündlich beschreiben:)

Wie in jenem Werbefilm, in dem ein junger Mann, vom guten Vorsatz getrieben, einer älteren Dame über die sehr befahrene Straße hilft. Mit dem besten Wissen und Gewissen, etwas Gutes zu tun, hakt er sie unter und registriert nicht ihre Abwehrreaktionen. Er verabschiedet sich stolz von ihr, und auch ihre Verzweiflung nimmt er nicht wahr, als sie sehnsüchtig auf die andere Straßenseite blickt, wo gerade der Bus abfährt, auf den sie dort ursprünglich gewartet hatte.

Unweigerlich fällt mir der konfliktschwangere Spruch ein: „Ich habe es doch nur gut mit dir gemeint.“ Vielleicht war es ein sol-

cher Satz, den Gott nicht mehr hören konnte, als er beschloss, die ganze Schöpfung durch eine große Flut wieder zu vernichten. Enttäuscht sieht er auf die Menschen, die so ganz anders waren, als er es sich gewünscht hatte.

Mit Blick auf die Krone der Schöpfung entstand wohl die Weisheit: Es ist nicht alles Gold, was glänzt! Mochten die Menschen auch nach außen glanzvolle Geschöpfe sein, Gott hat eine bittere Erkenntnis: Menschen sind schuldhaft!

Und schon höre ich meine eigene Spezies verteidigend ausrufen: „Aber ich habe es doch nur gut gemeint! Na gut, nicht immer. Natürlich gibt es auch die Augenblicke, in denen ich mit voller Absicht jemand anderem mal kräftig gegen das Schienbein trete … – … aber dann hat der das auch verdient."

Ja, wir sind auch in der Lage, Unrechtes zu denken, zu sagen und zu tun. Selbst in dem Wissen: Das ist Unrecht! Anderes zerbricht schon mal in unseren Händen, ohne dass wir es beabsichtigt haben. So sind wir nun mal. Wir können Gutes und Böses beabsichtigt tun, aber auch unbeabsichtigt bewirken. Das ist wohl allzu menschlich.

Als Noah und seine Familie und die vielen Tiere nach der großen Flut aus der Arche steigen, bereut Gott seinen Entschluss, die Schöpfung und mit ihr die Menschen zu vernichten. Er fasst mehr als einen guten Vorsatz, den man einhalten kann oder auch nicht, er verspricht es und schließt einen Bund mit den Menschen: „Solange die Erde besteht, sollen nicht aufhören Aussaat und Ernte, Kälte und Hitze, Sommer und Winter, Tag und Nacht." Genesis 8,22 (E)

Gott verspricht damit: „Ich will und werde euch eine feste Rahmenordnung schenken, die euch leben lässt!" Das ist die Grundvoraussetzung zum Leben, auf die nur er selbst Einfluss hat. Das ist eine gute Grundlage. Wenn Gott diesen Bund mit den Menschen schließt, dann ist er ein verlässlicher Vertragspartner. Und wir? Auch wir sind gefragt, zu handeln, uns einzumischen, Sorge zu tragen, dass alle Menschen in dem von Gott gesetzten Rahmen ihr Leben gut gestalten können.

Sind wir verlässliche Bündnispartner Gottes? So viel steht fest: Wir Menschen haben uns durch die Flut im wahrsten Sinne des Wortes nicht wesentlich verändert. Wir sind geblieben, wie wir sind: fähig zu Gutem und Bösem und manchmal zu der Erkenntnis, was was ist! Alles, was wir wissentlich oder unwissend Gutes tun und bewirken, ist ein großer Grund zur Freude bei Gott und Menschen. Aber zu unserem Leben gehört es auch, hier und da auf unserem Lebensweg Scherben zu hinterlassen. Zu allem Gelingenden gehören auch Schattenseiten, Abgründe und Unvermögen. Da geschieht es schon mal, dass wir Menschen oder Situationen falsch einschätzen und Fehler machen, dass etwas im Leben zu Bruch geht und wir, trotz guter Absichten, Scherben in Händen halten. Aber das ist kein Grund, es nicht doch mit guten Vorsätzen zu versuchen. Wer aus gutem Vorsatz handelt, läuft Gefahr, dabei auch Fehler zu machen. Wer es gar nicht erst versucht, hat den Fehler bereits gemacht.

Eine Unterbrechung mit zwei Fragen und einem Lied:

(Jeder kann einen Augenblick in der Stille für sich darüber nachdenken oder in Kleingruppen diskutieren.)

Wie sehen die Lebensbedingungen, die Rahmenordnung aus, die nur Gott uns geben kann? Die Dinge, auf die wir keinen Einfluss haben, die allein in Gottes Verantwortung liegen, um die wir immer wieder neu bitten müssen?

Wo ist unsere Verantwortung gefragt? Wo können wir maßgeblich oder im Kleinen etwas dazu beitragen, dass Menschen weltweit, in unserem Umfeld oder wir selber besser leben können?

Lied: „*Was ist deins, was ist meins?*"

zum Hören: ***https://soundcloud.com/53721rockit/was-ist-deins-was-ist-meins-53721-deins***

oder Selbersingen:

Was ist deins, was ist meins? (53721 Deins!)

Text und Musik: Simone Enthöfer

2.) *Gott, lass mich suchen, hilf mir finden,*
Leben lieben und versteh'n,
um deinen Willen zu ergründen,
und meine Wege mit dir geh'n.
Schickst du mir heut auch tausend Engel,
die auf meinen Wegen schweben,
lass mich mitten im Gedrängel
dich erkennen und neu leben.

Refr.

3.) *5 3 7 2 1 Fragen,*
die sich mir im Leben stellen.
Auch wenn Zweifel an mir nagen:
Stillst du wirklich Sturm und Wellen?
Wo bin ich gefragt zu handeln?
Frech und frei im Weg zu stehn?
Will verändern und verwandeln,
an vielen kleinen Rädchen drehn.

Refr. + Schluss

Fortsetzung Impuls:

Gott heißt nicht alles gut, was wir tun. Er lässt nicht einfach fünfe gerade sein und möchte, dass wir nach seinem Willen in unserem Leben fragen. Aber für Gott hat sich durch die Flut etwas verändert. Er spürt, dass seine Liebe zu uns Menschen immer größer und immer stärker ist als alle Enttäuschung über uns. Die größte Rahmenbedingung, die er uns zum Leben und

Überleben gibt, ist seine uneingeschränkte, vergebende Liebe. Gott bekräftigt den Bund, den er mit uns schließt, mit dem schönen Symbol des Regenbogens: Er erscheint immer dann, wenn die Wassertropfen, die vom Himmel fallen, gleichzeitig von den Strahlen der Sonne getroffen werden. Für uns ein Zeichen, dass Gott mit uns gemeinsam über unser menschliches Unvermögen weint und diese Tränen gleichzeitig von den Strahlen seiner Liebe beschienen werden.

Es lohnt sich vielleicht doch, gute Vorsätze zu haben, zu versuchen, sie mutig nach bestem Wissen und Gewissen umzusetzen. Sollten wir scheitern, sollte doch etwas zu Bruch gehen, so dürfen wir wissen, dass wir in Gottes Liebe geborgen und gehalten bleiben. Dass sein Bund mit uns unumstößlich ist.

Selbst und gerade in den Scherben unseres Lebens gilt Gottes Versprechen: „Solange die Erde besteht, sollen nicht aufhören Aussaat und Ernte, Kälte und Hitze, Sommer und Winter, Tag und Nacht." Genesis 8, 22 (E) Selbst und gerade in den Scherben unseres Lebens spiegelt sich das Zeichen der Treue und Liebe Gottes, der Regenbogen.

So lasst uns mutig und getrost und mit guten Vorsätzen in das neue Jahr gehen!

Amen!

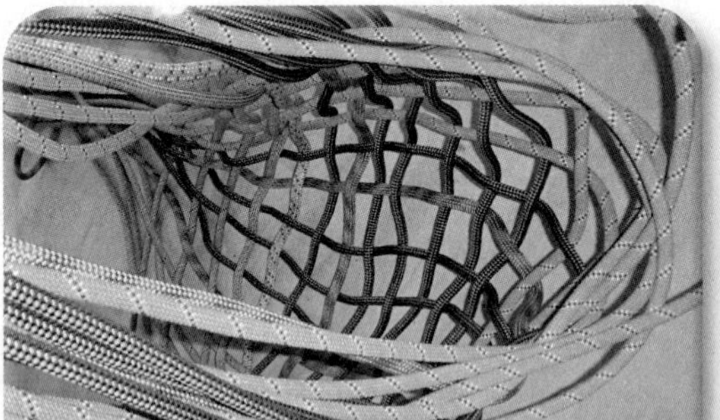

(Blätter verteilen und einladen, sich in diesem Moment oder später zu Hause Gedanken über sinnvolle Vorsätze für das neue Jahr zu machen und auf dieses Blatt zu schreiben. Auf den unbedruckten Seiten der CDs bricht sich das Licht so, dass kleine Regenbögen immer auch auf den Scherben zu sehen sind.)

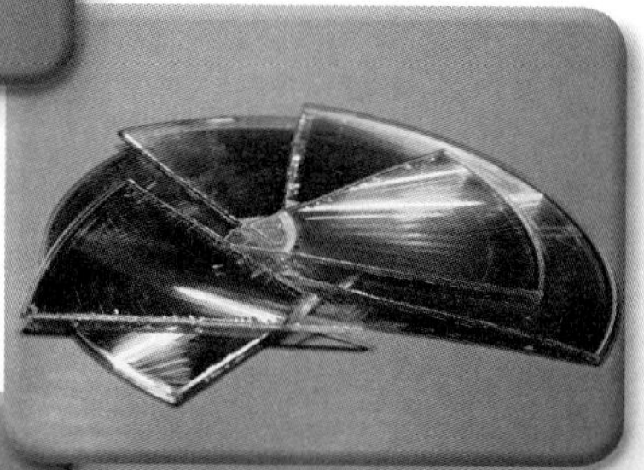

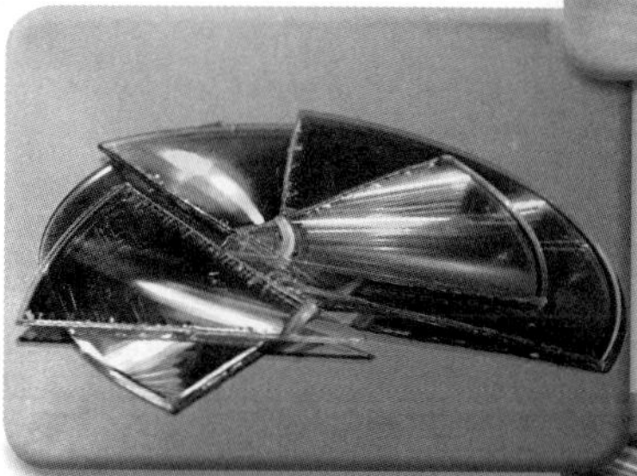

Lied: *Vertraut den neuen Wegen …* *EG 395*

Gebet:

Gott, das alte Jahr liegt erfüllt hinter uns,
das neue begrüßt uns an vielen Stellen mit noch ungewisser Leere,
erwartungsvoll gefüllt zu werden
mit Geräuschen, Begegnungen,
Gesprächen und Liedern,
Gerüchen, Gefühlen,
Neuem und Vertrautem,
Geben und Nehmen
Ach Gott, was auch immer kommen mag: Ich bin da, –
nein: hier. Ich bin hier.
Und bitte, sei du es auch.
Sieh alle Vorhaben und guten Vorsätze,
hilf mir, vieles gelingen zu lassen.
Und flüstere in meine Seele
Gelassenheit, Zuversicht und einen Funken Fröhlichkeit.
Begleite uns in dieses neue Jahr.
Behüte und beschütze uns.
Amen.

Vaterunser

Segen:

So geht hin und stärkt die müden Hände,
macht fest die wankenden Knie
und sagt denen, die verzagten Herzens sind:
Seid getrost, fürchtet euch nicht, seht, da ist euer Gott.
Der Herr segne dich und behüte dich.
Der Herr lasse sein Angesicht leuchten über dir und sei dir gnädig.
Der Herr erhebe sein Angesicht über dich und gebe dir Frieden.
Amen.

Lied: *Caminando va* *HuT 327*

Simone Enthöfer

Februar

Ich schäme mich des Evangeliums nicht: Es ist eine Kraft Gottes, die jeden rettet, der glaubt.

Römer 1, 16 (E)

SCHAMLOSE WAHRHEIT?

Fremdschämen

Manchmal schäme ich mich fremd, wenn sich Menschen berufen fühlen, in der Fußgängerzone ihren Glauben zu propagieren. Mit Gitarre und Cajon ist die Aufmerksamkeit schnell erreicht. Und dann wird ohne lange Umschweife den Passanten zugerufen, dass sich ihr Leben ändert, wenn sie es mit Jesus leben. Ich schäme mich also, weil sich jene nicht schämen – wie Paulus! Woher kommt meine Scham? Weil die sich trauen, was ich mich so nicht traue?

Christentum – Religion der Scham?

Die Überbringer der Botschaft

Als Paulus den Brief an die Gemeinde in Rom schrieb, beschlich ihn möglicherweise die Scheu vor der weltgewandten und erfahrenen Christengemeinde in Rom. Die konnte sich sehen lassen mit ihrer Geschichte – genau wie die Urgemeinde in Jerusalem. Paulus war als Neuling auf dem Gebiet der christlichen Verkündigung unterwegs. Außerdem galt er als problematische Gestalt in den jungen christlichen Kreisen, die sich in den Synagogen entwickelt hatten. Er hatte die ersten Christen verfolgt, weil sie, wie er dachte, die Einheit des jüdischen Glaubens gefährdeten. Jüdisch und christlich – nun ging der Riss auch durch Paulus selbst. Das ist das Lebensthema des Paulus und auch Thema der großen judenchristlichen Gemeinde in Rom.

Ein anderes großes Thema bei Paulus, sind „die Starken und die Schwachen im Glauben". In 1. Korinther 8–10 entdecken wir Paulus als Anwalt der „Schwachen"! Er argumentiert gegenüber den „Starken" bzw. den Aufgeklärten, indem er auf das Gewissen der „Schwachen" abhebt. Ist es nicht das Gewissen, welches die Scham zu Hilfe nimmt wie einen Schild, um den Kern der Person zu schützen?

„Was verteidigen (wir), wenn wir die Würde der Intimität verteidigen?" fragt der Philosoph Peter Bieri. (Bieri, 2013, S. 206) Und Paulus hat sie verteidigt! Er wollte, dass das Gewissen des anderen nicht unter Druck gerät – und auch nicht durch die freiere Handhabung meines eigenen. (1. Korinter 10, 28 f.)

Könnte ein bewusster Umgang mit meiner Scham diese unauflösliche Spannung zwischen dem eigenen Gewissen und dem des anderen nicht einigermaßen erträglich machen?

Überwundene Scham lässt sich als Würde beschreiben. Sie führt in die Erfahrung eines Neuanfangs trotz bleibender Last. Zu sich stehen, ohne die Konstitution seiner selbst ablegen zu können. (Bieri, 2013, S. 172 ff.) Ich kann mich nicht anders machen, als ich bin. Aber mein Leben wird sich ändern, wenn ich das eingesehen habe und damit beginne, zu mir zu stehen. Das Evangelium vermeldet Gleiches: Der Zusage der grundlosen Liebe Gottes steht aufseiten des Menschen die Öffnung für die Liebe gegenüber. Ich bekomme mich wieder neu geschenkt. Hintergrund der Scham ist ja auch das (verinnerlichte) fremde Urteil oder mein eigenes Urteil über mich. Das „Urteil" Gottes, von dem das „Evangelium" spricht, lässt jene Urteile hinter sich und befreit mich.

Schampotenzial besitzt ebenfalls das praktische Überbringen des Gotteswortes. Das kennen wir vom Propheten Jeremia (1, 6). Genau wie Paulus ist er ein von Gott Gerufener. Und wir kennen noch jemanden, der gerufen wird von Gott, und zwar in der Kühle des Abendwindes: Wo bist du? (1. Mose 3, 9) In uns schämt sich der Erdling (Adam), wenn er von Gott auf seinen Standpunkt angesprochen wird. Und das ist keine Häme des Allwissenden, sondern die Sorge Gottes um den verunsicherten Adam.

Woher aber die Verunsicherung? Wir Menschen sind nun einmal in der Lage, diesen unseren Standpunkt zu verlassen, um von quasi höherer Warte aus Kriterien an ihn anzulegen; ihn selbst zu beurteilen. Wir haben vom Baum der Erkenntnis des Guten und Bösen gekostet. Wir können uns über uns selbst und den anderen Menschen erheben und ein Urteil abgeben. Wir werden zu gläsernen Menschen und verlieren den „natürlichen" Zugang zu uns selbst und zum anderen. Aus der Sicht eines zeitgenössischen Philosophen „gäbe (es) keine Nähe, weil es keinen Abstand gäbe, den man überwinden könnte". (Bieri, 2013, S. 212) In seiner Nacktheit hält Adam die Nähe Gottes nicht aus (1. Mose 3, 10) und hat sich versteckt.

Die Botschaft ist persönlich

Glauben könnte man genau als den Schritt beschreiben, aus dem Versteck herauszukommen. Das Evangelium ist die Anrede Gottes an die Person, die sich nicht (mehr) traut, hervorzukommen. Wer angeredet wird, ist nicht nur zufällig gefunden worden, sondern wird als Person wertgeschätzt.

Wenn ich diesen Prozess als Befreiung erfahre, kann ich mich immer neu darauf einlassen. Glauben so verstanden, wird zum Entdeckungsfeld der eigenen Persönlichkeit im Gegenüber zu Gott und in der Gemeinschaft der Glaubenden. Denn das Evangelium geschieht in der persönlichen Zusage. Seine Wahrheit schwebt nicht über den Dingen, sondern trifft das Leben direkt. Vielleicht haben ja „schämen" und „Evangelium" deshalb etwas miteinander zu tun. Es geht um mein Inneres, um das, was mich ausmacht. Mit dem Evangelium berührt mich eine Kraft, die mich von Grund auf erneuern möchte.

Aber, was ist nun „das Evangelium"? Gottes Kraft! Es ist die zärtliche Berührung dessen, der mir so nah kommen kann – auch da, wo ich mir selbst nicht mehr nahe kommen möchte. In dem Moment, wo ich zugemacht habe, wo mein Leben vergraben ist, wälzt er den Stein von des Herzens Tür ... Gott kommt mit seiner ganzen belebenden Kraft zu mir, dass ich wieder beginnen kann zu leben.

Jugend – sich schämen und eigene Kräfte entdecken

Jugendliche sind Meister im „Fremdschämen". Wie oft schämen sie sich z. B. wegen ihrer Eltern? Oder für vermeintlich oder tatsächlich körperliche Unzulänglichkeiten und natürlich für untragbare Klamotten.

Da, wo ich mich als junger Mensch schäme, sollte ich dennoch genauer hinschauen. Denn dort verbergen sich wahrscheinlich besondere – bisher ungekannte und ungeahnte – Kräfte. Scham bemächtigt sich meiner nur dort, wo ich etwas verbergen möchte bzw. wo es wirklich etwas zu verbergen gibt. Die zunächst nur geahnten Kräfte sind mir noch unheimlich. Ich weiß nicht, was sie mit mir machen, wenn ich sie zulasse. So ist es auch mit meinen Sehnsüchten. Die Kräfte und Sehnsüchte werden mich verändern.

Wer bin ich dann? Wohin führt oder zieht mich meine Sehnsucht? Deshalb geschieht gute Jugendarbeit in einem geschützten Raum, den eben „der Prozess des (Neu-Er-)Findens braucht". (Hafeneger, 2013, S. 426)

Erwachsen werden recht verstanden bedeutet, die Scheu zu überwinden vor dem eigenen freien Blick auf meine Stärken und Kräfte, auf meine Sehnsucht und freilich auch auf meine Schwächen. Auch der Glaube formt sich zu einem erwachsenen in solchem Bildungsprozess. So kann ich mir die Kraftfelder (oder -quellen, Urbilder meiner selbst etc.) meines Kinderglaubens bewusst machen (Müller, Grün, & Ott, 2011, S. 172f.) und sie integrieren in die Welt der neu entdeckten Möglichkeiten. So kann es gelingen, sie neu zur Sprache zu bringen.

Andererseits bergen diese Neuentdeckungen Schampotenzial angesichts der alltäglichen Lebenswelt! Wenn Jugendliche nach einem großartigen Gemeinschaftserlebnis, z. B. beim Kirchentag oder in Taizé, zurückkommen in ihr nichtgläubiges oder agnostisches Umfeld. Wie sollen sie ihren neuen Blick auf das Leben den anderen – noch dazu Erwachsenen – klar und verständlich machen? Kann das gelingen, ohne dass es sich peinlich anfühlt?

Die Kraft des Gebets

Andacht

Ich bin mit meinem Rad unterwegs. Plötzlich Sirene – Blaulicht – Rettungswagen. In meinem Inneren regt sich ein Gebet: Sei du, Gott, jetzt bei diesem Menschen. Seine Angst und Not lassen mich mit Gott in Beziehung treten. Ich bin in dem Moment in meinem Gebet verbunden mit einem Menschen, den ich gar nicht kenne – und mit Gott.

Wieso stelle ich mich mit meinem Gebet in diese fremde Lebenssituation? Kann es viel ausrichten? Wenn sich das medizinische Personal einsetzt für den Verunfallten und seine Konstitution durchhält, sind doch alle menschlichen Möglichkeiten ausgeschöpft. Vielleicht sind mit dem Gebet ein paar geistige Wellen unterwegs, die im entscheidenden Moment hilfreich sein können. Na ja, so genau weiß man das nicht! Aber Leben retten mit meinem Gebet?! Warum drängt es mich dennoch zu beten? Warum spürte ich ein schlechtes Gewissen, als ich mal in einer solchen Situation nicht gebetet hatte?

Die Not des Menschen da im Rettungswagen erinnert mich daran, dass ich Christ bin. Das wundert mich ziemlich. Hier setzt etwas meine eigene

Beziehung zu Gott in Schwingungen. Der Volksmund hat also wieder einmal recht: Not lehrt beten? Bisher habe ich den Spruch immer so verstanden, dass man in der Not nach jedem Strohhalm greift. Heute sehe ich das anders, weil ich mich nicht mehr des Evangeliums schäme, denn es ist eine Kraft Gottes, die jeden rettet, der glaubt.

Das *Evangelium* von dem hingerichteten Menschen, der die Nähe Gottes verkörperte, den dann das Grab nicht halten konnte und der zu Gott gehört, wie Gott zu sich selber – das Evangelium hilft mir zu verstehen und zu empfinden: In der Not dieses Menschen im Rettungswagen bist du, Gott, mit drin! Da ist jetzt Gott ganz nah, und deshalb werde ich in Schwingungen versetzt, zu beten. Mein Gebet hat nicht die Macht, den Menschen da zu retten, aber ich glaube daran, dass Gott das Schicksal dieses Menschen teilt.

Amen.

Das Leben setzt sich durch in der Überwindung der Scham – sechs Bausteine

a) ***Der (erste) öffentliche Auftritt – die Konfirmation***
Ein Fest, das von meiner Rettung erzählt. Was hat Gott gerettet bei mir/in mir?
Ein Fest, bei dem ich mich des festen Bodens unter meinen Füßen vergewissere,
damit ich als Persönlichkeit auftreten kann.
Ein Fest der Gemeinschaft, in die ich mich stelle und für die ich stehe.

Römer 1, 16 spricht in dieses großartige Auftreten hinein: Zum einen stelle ich mich in diesen großen Kraftstrom. Zum anderen vergewissere ich mich dieser Kraft, welche ich vielleicht schon aus meiner Kindheit kenne, für den weiteren Lebensweg.

b) ***Glaubenszeugnis***
… ist doch peinlich, oder? Weshalb Glaubenszeugnisse? Um etwas von der Kraft, die Leben trägt und verändert, nachvollziehbar (für mich selbst und andere) zu machen. Deshalb erzählt ihr mal in eurer Gruppe, ob es peinlich war, über den eigenen Glauben zu reden. Vielleicht traut sich jemand, von dem Moment zu erzählen, in dem ihm oder ihr der Glaube bewusst geworden ist.

c) *Gottes Kraft kommt zart daher! Mein Glaube verändert mich und die Menschen um mich herum vielleicht nicht so gewaltig, wie die Rede von der Rettung (Vers 16: Kraft zur Rettung) vermuten lässt, aber ich lerne neu zu leben, weil ich meine „Echtheit" (Bieri, 2013, S. 211) entdecken und beibehalten kann. Überlegt einmal, wie ein sich ständig wandelnder (mitwachsender) Glaube dazu beiträgt, dass ich Ich sagen kann.*

d) ***Maskerade – das Spiel mit der Scham***
Der Monatsspruch steht über den Karnevalswochen. Das Thema Masken aufsetzen *und* – ablegen *schwingt mit. Maske und Würde – welche Zusammenhänge werden deutlich? Zum einen Schutz und Bewegungsmöglichkeiten unter der Maske. Zum anderen sind es die großen Momente im Leben, in denen Menschen voreinander die Masken fallen lassen.*
Schreibt ein kleines Stück, eine Liebesgeschichte, in der die Masken (auch die im übertragenen Sinn) wichtig sind.

e) ***Wortspiel und Bildmeditation:***
Durch Umstellen der Worte in Römer 1, 16 a ergibt sich u. a. dieser Sinnzusammenhang: Wenn „Evangelium" heißt: Ich

bin nicht „Gott" (über mich und den anderen), schäme ich mich dann noch irgendeiner Kraft? Welche Kräfte können fließen zwischen uns Menschen, wenn wir uns nicht durch Überhebungen daran hindern würden? Welche Kräfte in mir stecken, werde ich erst feststellen, wenn ich die verinnerlichten Vorurteile über mich entdeckt habe.

Wortumstellung:

Evangelium:
Ich nicht Gott!
Schäme ich mich?
Denn eine Kraft ...

Vielleicht lässt sich die Übertragung zusammen mit dem Bild (unten) meditieren.

Bildrecht beim Verfasser

Kon-genial: http://www.youtube.com/watch?v=DoxqZWvt7g8&sns=em

Lieder

Gott, gib uns ein Herz	*HuT 373*
Jesu, meine Freude, Jesu, wahrer Gott	*HuT 313*
Gott, gib uns Mut	*Sing (m)it 10*

Literaturverzeichnis

- → *Bieri, P. (2013). Eine Art zu leben. Über die Vielfalt menschlicher Würde. München: Hanser.*
- → *Hafeneger, B. (10/2013). Kernelemente des Professionellen Kompetenzprofils Jugendarbeit. deutsche jugend, S. 423–433.*
- → *Müller, W., Grün, A., & Ott, R. (2011). Sorge für dich. Spirituelle und therapeutische Hilfestellungen für Seelsorger und Seelsorgerinnen (1. Ausg.). Münsterschwarzach: Vier-Türme-Verlag.*

Andreas Holtz

März

Ist Gott für uns,
wer kann wider uns sein?

Römer 8, 31 (L)

ANGSTFREIE ZONE

Parole gegen die Angst

Zuerst hatte ich das Fragezeichen übersehen. Vor meinem inneren Auge sah ich den Satz sogar mit Ausrufezeichen: Ist Gott für uns, wer kann gegen uns sein! Eine Parole gegen die Angst.

Mir fällt Kaiser Konstantin ein. Er machte das Christentum zur Staatsreligion im Römischen Reich. Ich sehe die Heere ausziehen, und vorneweg wird das Wappen mit dem siegreichen Kreuz getragen. Der Gott der Christen ist stärker als alle Götter. Seine Macht soll zum Sieg verhelfen. Es hat nichts genützt, das Römische Reich ist trotzdem untergegangen. Später sind Tausende im Namen des Christentums in die Kreuzzüge gezogen, haben gemordet, geraubt und gebrandschatzt. Die meisten Kreuzritter sind selbst bereits auf dem Weg ins Heilige Land verreckt. Der Monatsspruch ist wohl nicht geeignet, um Kriege zu gewinnen.

Beim zweiten Hinsehen entdecke ich das Fragezeichen: Ist Gott für uns, wer kann gegen uns sein? Gute Frage. Wer könnte gegen uns sein? Ich denke darüber nach: Dabei fällt mir höchstens eine Handvoll Leute ein, die gegen mich sind. Höchstens. Es gibt wohl Menschen, die mir das Leben schwer machen. Es gibt Leute, die grundsätzlich andere Einstellungen haben als ich. Wenn wir miteinander auskommen müssen, ist das manchmal schwierig. Aber dass jemand echt gegen mich ist, das ist eine andere Nummer. Das heißt ja schon, dass man jemanden total ablehnt. Oder alles falsch findet, was der andere macht. Oder jemandem den Platz streitig macht, um ihn zu verdrängen. So weit geht es meistens doch nicht.

Für mich gilt eher, dass ich mir manchmal selbst der größte Feind bin. Im Zweifelsfall stelle ich mich selbst infrage, stehe ich mir selbst im Weg, tue nicht das, was ich eigentlich für richtig halte.

Viele Leute empfinden es vielleicht anders als ich. Viele Jugendliche haben das Gefühl, dass Eltern, Lehrer, Geschwister oder Gleichaltrige gegen sie sind. Vielleicht gibt es sogar eine Gruppe, die alle anderen mobbt.

Damals war das für Christen auch so. Wenn man ständig Angst haben muss, verfolgt oder zu Unrecht beschuldigt und zu schlimmen Strafen verurteilt zu werden. Nur weil man an Gott glaubt und Christ ist. Einfach so, ohne richtige rechtliche Grundlage. Dann kann man schon sagen: Jemand ist gegen mich. Insofern ist es gut, dass Paulus Gott auf seiner Seite weiß und glaubt, dass Gott am Ende stärker ist.

In der Geschichte hat es mehr willkürliches Unrecht gegeben als Gerechtigkeit nach unserem heutigen Verständnis. Und heute ist es fast überall auf der Welt auch noch so.

Beim dritten Hinsehen lese ich, was um den Monatsspruch herum steht. Da sind noch mehr Fragen, und die Antworten stehen eigentlich fest. Es sind klar rhetorische Fragen. Also handelt es sich doch um eine verstärkte Aussage unter dem Motto: Niemand kann gegen uns sein, wenn Gott für uns ist. Anders ausgedrückt: Es kann schon sein, dass jemand gegen uns ist. Es gibt Auseinandersetzungen, Streit, Feindschaften und Selbstzweifel. Aber es wird sich als hilfreich erweisen, dass Gott für uns ist.

Mittel zur Macht: die Gerechtigkeit Gottes

Ein Theologieprofessor, bei dem ich studierte, lispelte stark. Am liebsten hielt er seine Vorlesungen über den Römerbrief mit der zentralen Stelle über die Gerechtigkeit Gottes. Als Neutestamentler sagte er das natürlich auf Griechisch: dikaiosyne tou theou. Bei ...syne spuckte er regelmäßig durch den ganzen Hörsaal. Er sagte gern und oft dikaiosyne tou theou. Daher ist mir diese Bibelstelle von der Gerechtigkeit Gottes in besonderer Erinnerung.

Tatsächlich hat das 3. Kapitel des Römerbriefs eine wichtige Bedeutung für das Christentum. Martin Luther hatte als junger Mönch wie mein Professor Vorlesungen gehalten, und zwar auch über den Römerbrief. Genau an dieser Bibelstelle (Vers 21) ist er hängen geblieben, wo von der Gerechtigkeit Gottes die Rede ist: dikaiosyne tou theou. Ihm wurde nachhaltig klar, dass diese Gerechtigkeit nicht auf Moral und Gesetz beruht und uns am Ende immer nur verurteilen kann, weil wir nie perfekt sind. Er übersetzte deshalb: Gerechtigkeit, die vor Gott gilt. Das ist ein anderes Wertesystem. Gott ist gnädig. Er nimmt den Sünder an. Es wurde der Kerngedanke der Reformation. Sie wendete sich gegen eine Kirche, die mit Ablassbriefen ihr Geld verdiente und die Angst der Leute vor dem Höllenfeuer ausnutzte.

Überhaupt hat der Römerbrief unter den Paulusbriefen eine besondere Stellung. Es ist der späteste uns bekannte Brief des Apostels. Und es ist der einzige, den er an eine Gemeinde schrieb, die er nicht kannte. Die anderen Gemeinden hatte er mit seinen Mitarbeitern überwiegend selbst gegründet und in ihrer Anfangszeit persönlich und durch Briefe begleitet. Das war unglaublich aufregend, weil so vieles noch ungeklärt war. Für viele Fragen der christlichen Lehre legte Paulus in seinen Briefen die Basis. Er musste korrigierend eingreifen, wenn freie Prediger kamen und die Gemeinden in die Irre führten. Er musste erläutern, dass Christen sehr wohl nach ethischen Kriterien handeln sollen, als Schwärmer und Charismatiker Anarchie leben wollten. Er musste erklären, was mit der Auferstehung ist, als die ersten Christen starben. Die Briefe an die Galater oder die griechischen Gemeinden in Thessaloniki und Korinth geben ein lebendiges und authentisches Zeugnis davon.

Der Römerbrief ist anders. Im Zentrum der Macht des Römischen Reiches hatte sich bereits eine Gemeinde gebildet, und Paulus wollte sie auf jeden Fall noch besuchen. Ob er Rom jemals erreicht hat, ist fraglich. Vielleicht ist er auf dem Weg dorthin ums Leben gekommen. Reisen war damals gefährlich, und Christ sein noch viel mehr.

Aber den Brief nach Rom hat er abgeschickt. Darin stellt er einigermaßen systematisch dar, was er in den anderen Briefen erst entwickeln musste. Es ist eine Art Lehrbuch des ganz frühen Heidenchristentums geworden.

Zunächst erklärt er, warum alle Menschen seit Adam Sünder sind und erlöst werden müssen. Dann beschreibt er, wie Gott allen Menschen diese Erlösung verschafft durch den Tod und die Auferstehung von Jesus Christus. Damit ist schon mal ein riesiger Schritt getan. Ganz im Sinn von Jesus ist Gott nicht mehr nur der Gott Israels, sondern der Schöpfer und Erlöser der Welt.

Nach diesen grundlegenden Gedanken hat er nur noch ein Problem: Die Welt ist noch nicht endgültig und für alle sichtbar befreit. Immer noch gibt es Leid und Elend. Immer noch ringen wir mit der Sünde. Alles scheint sich nach Erlösung zu sehnen, sogar die ganze Natur. „There is a longing in our heart, o God …" Das Jammerkapitel 7 über das Leiden gipfelt in dem Satz: „Ich armseliger Mensch, wer wird mich erlösen von diesem irdischen Dasein?" (Vers 24) Diesen Zwiespalt löst er auf, indem er die Hoffnung einbringt: Wir sind erlöst, aber auf Hoffnung hin. Wir hoffen nicht auf das, was wir sehen. Sonst wäre es keine echte Hoffnung. Sondern wir hoffen auf Gott, den wir nicht sehen. Glaube und Hoffnung gehören zusammen.

Im 8. Kapitel kann Paulus dann triumphieren: „Ich bin gewiss, dass weder Tod noch Leben, weder Engel noch Mächte noch Gewalten, weder Gegenwärtiges noch Zukünftiges, weder Hohes noch Tiefes noch eine andere Kreatur uns scheiden kann von der Liebe Gottes." (Vers 38–39) Die rhetorische Frage „Wenn Gott für uns ist, wer kann gegen uns sein?" steht also tatsächlich im direkten Zusammenhang mit unserem Ringen mit dem Leid dieser Welt und unserem eigenen Unvermögen, das Gute zu tun, das wir eigentlich wollen.

Zwischen Allmacht- und Ohnmachtsphantasien

Das Leben spielt sich zwischen unterschiedlichen Polen ab, z. B. zwischen den Extremen Allmacht und Ohnmacht. Wenn sich ein Mensch oder eine Gruppe allmächtig fühlt und meint, sie habe das Recht auf ihrer Seite und die Macht über alle anderen, dann wird es richtig gefährlich. Aber es ist auch schädlich, wenn ein Mensch oder eine Gruppe sich nur als ohnmächtig erlebt und immer nur Opfer bleibt. Irgendwo dazwischen sollte sich die normale Gefühlslage einpendeln. Am besten ist es wohl, wenn man seine Möglichkeiten sieht und ausschöpft und seine Grenzen und Begrenzungen erkennt.

In dieser Spanne bewegt sich unsere Welt, und auch der Römerbrief lotet sie aus. Auf der einen Seite steht das „Ich elender Mensch, wer wird mich erlösen?“, auf der anderen das „Ist Gott für mich, wer kann gegen mich sein?“.

Die Gefühlswelt Jugendlicher spiegelt die Extreme oft in besonderer Weise wider. Bildung beruht nicht in erster Linie auf Neugier und Interesse, sondern ist eine staatliche Pflichtaufgabe. In Klassenverbänden über Jahre hinweg kann es ungemütlich werden. Wo kann ich Einfluss nehmen und selbst gestalten, wo muss ich mich anpassen oder die Situation erdulden und erleiden?

Studien über Amokläufer zeigen, dass sich die Täter zwischen Ohnmachts- und Allmachtphantasien bewegen. Einerseits erleben sie sich als Opfer, die erfolglos, einsam und ausgegrenzt sind. Auf der anderen Seite steigern sie sich in die Phantasie hinein, einmal Macht über alle zu haben. Das führt zu den sogenannten erweiterten Suiziden, die unschuldige Menschen mit in den Tod reißen, die persönlich nichts mit der Situation zu tun haben.

Das sind Extreme, die in ihrer Grausamkeit kaum nachvollziehbar sind. Aber sie spiegeln einen Teil der Alltagswirklichkeit von Jugendlichen zwischen Ohnmacht und Allmacht wider.

Das Kreuz als Zeichen der Macht Gottes, die mir hilft und mich schützt, ist noch immer Teil dieser Lebenswelt. Einige tragen ein Kreuz an einer Kette um den Hals – als Zeichen, dass Gott Schutz gibt? Profifußballer aus katholischen Ländern machen Kreuzeszeichen oder küssen ihr Kreuzkettchen, wenn sie ein wichtiges Tor geschossen haben – hat Gott ihnen zum Erfolg verholfen? Bei mir hat Gott auf dem Fußballplatz offenbar nie mitgespielt, und auch bei schwierigen Klausuren hat das Stoßgebet nicht unbedingt weitergeholfen. So einfach scheint es nicht zu sein.

Mir fällt die alte Geschichte von Janosch ein: Hannes Strohkopp und der unsichtbare Indianer (Bitter Verlag 1980). Hannes heißt gleich so, wie er wahrscheinlich in der Schule genannt wird. Er kommt sich wie ein Strohkopp vor, der eigentlich nichts kann. Ein Onkel aus Amerika hilft mit einem Wunderpulver. Über Nacht gesellt sich ein kleiner Indianer zu Hannes, der immer auftaucht, wenn er ihn braucht. Nur ist er unsichtbar, für die anderen jedenfalls. Der Indianer macht Hannes Mut, sodass er plötzlich mit Freude malt und sogar gerne Sport macht. Es geht aufwärts mit ihm, bis der Indianer im kommenden Winter auch für ihn unsichtbar wird. Hannes Strohkopp findet sich nun auch alleine zurecht.

Gott ist vielleicht kein großer Indianer oder ein Kindertrick für die Seele. Aber ungefähr so sollte es sein, wenn wir uns auf ihn verlassen. Seine Stärke gibt uns nicht Gewalt über andere, sondern in erster Linie Selbstvertrauen, in schwierigen Situationen das Richtige zu tun.

Materialien

Die Macht der Schwachen ist die Schwachheit der Starken

Ablauf einer Andacht: z. B.: HuT 514

Psalmen: Vorschläge (mit Überschriften und kurzen Zitaten zur schnellen Orientierung)

EG 716:
Sei mir ein starker Fels (Psalm 31)
Du übergibst mich nicht in die Hände des Feindes;
du stellst meine Füße auf weiten Raum.

EG 724/HuT 639:
Sende dein Licht und deine Wahrheit (Psalm 43)
Gott, schaffe mir Recht.
Warum muss ich so traurig gehen,
wenn mein Feind mich drängt?

EG 728:
Unter dem Schatten deiner Flügel habe ich Zuflucht (Psalm 57)
Sie haben mir eine Grube gegraben
und fallen doch selbst hinein.
Deine Güte reicht, so weit der Himmel ist.

EG 751/HuT 686:
Ich harre des Herrn, denn bei ihm ist die Gnade (Psalm 130)
Wenn du, Gott, Sünden anrechnen willst – wer wird bestehen?

EG 754/HuT 688:
Erforsche mich, Gott, und erkenne mein Herz (Psalm 139)
Erforsche mich, Gott, und erkenne mein Herz;
prüfe mich und erkenne, wie ich es meine.
Und sieh, ob ich auf bösem Weg bin,
und leite mich auf ewigem Weg.

EG 755/HuT 689:
Mein Geist ist in Ängsten (Psalm 143)
Geh nicht ins Gericht mit dem, der dir dient;
denn vor dir ist kein Lebendiger gerecht.

EG 759/HuT 602:
Seligpreisungen (Matthäusevangelium 5, 3-12)
oder:
die Strophen aus dem Lied „Expelliarmus" im Wechsel gelesen:

Willst du wissen, was es heißt, wirklich selig zu sein,
dann lass dich auf Gottes Barmherzigkeit ein.
Denn wenn du selbst barmherzig bist,
erfährst du wirklich, was Liebe ist.
Willst du wissen, was es heißt, wirklich selig zu sein,
dann lass dich auf Gottes Gerechtigkeit ein.
An Ungerechtigkeit geht die Welt zu Grunde,
wenn Gott sie nicht erhält.
Willst du wissen, was es heißt, wirklich selig zu sein,
dann lass dich auf Gottes Frieden ein.
Denn wer selber Frieden schafft,
der spürt im Herzen Gottes Kraft.
Willst du wissen, was es heißt, wirklich selig zu sein,
entwaffne dich selbst und lass dich drauf ein,
dass im Streiten nur gewinnt,
wer sein Leben friedlich beginnt.

Lesung: (freie Übertragung nach Lutherübersetzung):

Teil 1: *Kapitel 7, 18-19+24*

Gerne will ich Gutes tun. Mir gefallen Gottes Gebote
und seine Lebensordnung.
Das Wollen trage ich in mir, aber es gelingt mir nicht,
es wirklich umzusetzen.
Deswegen tue ich nicht das Gute, das ich will,
sondern das Böse, das ich nicht will, das tue ich.
Deshalb fühle ich mich elend;
wer wird mich aus diesem Dilemma erlösen?

Teil 2: *Kapitel 8, 26+31-32+37-39/HuT 609*

Der Geist Gottes gibt mir Kraft, wenn ich schwach bin.
Ist Gott für uns, wer kann gegen uns sein?
Denn er hat seinen Sohn nicht verschont, sondern hat ihn für
uns alle hingegeben – sollte er uns mit ihm nicht alles schenken?
Wir überwinden das Leid und das Böse durch den, der uns liebt.
Deshalb bin ich gewiss, dass
weder Tod noch Leben,
weder Engel noch Mächte,
weder Gegenwärtiges noch Zukünftiges,
weder Hohes noch Tiefes
noch irgendein anderes Wesen
uns trennen kann von Gottes Liebe.

Weiterer Text:

> Jesus sagt (im Matthäusevangelium 5, 17):
> Ihr sollt nicht meinen,
> dass ich gekommen bin,
> um das Gesetz aufzulösen;
> ich bin gekommen,
> um es zu erfüllen.

Nach der Lesung passt das Glaubensbekenntnis von Dietrich Bonhoeffer (HuT 524)

Anregungen für eine Ansprache/Meditation/Predigt

Es gibt ein Thema, über das wir normalerweise nicht gerne sprechen. Wir wollen es heute aufgreifen. Es heißt: meine Feinde. Bitte entspanne dich und überlege, welche der folgenden Antworten auf dich am meisten zutrifft:

- → *Es gibt Menschen, die gegen mich sind.*
- → *Ich werde manchmal gemobbt.*
- → *Ich habe Feinde.*
- → *Die meisten Leute mögen mich nicht.*
- → *Eine andere Gruppe terrorisiert uns.*
- → *Der größte Feind bin ich mir selber.*
- → *Ich habe keine Feinde oder Gegner.*

(Man kann die Fragen zweimal lesen oder sie oder die Antworttypen als Anspiel inszenieren.)

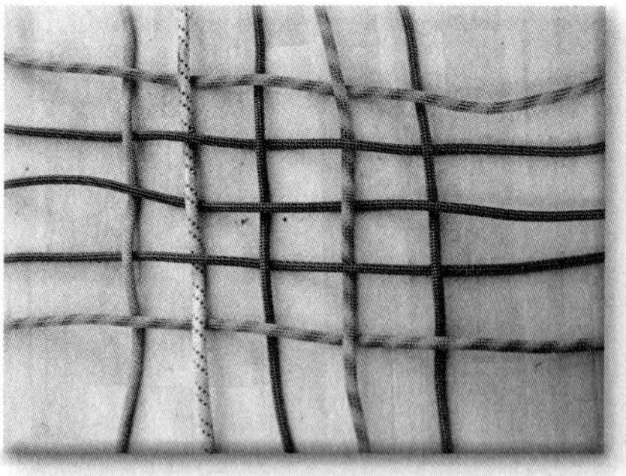

Du hast für dich eine Antwort gefunden.
Nun fragen wir uns: Wie gehen wir mit der Situation um?

Modell 1: Jeder kämpft gegen jeden. Der Stärkere gewinnt. Es ist die Anarchie ohne Gesetz.

Modell 2: Auge um Auge, Zahn um Zahn. Hier gelten Regeln, an die sich jeder halten muss. Wer dem anderen was zufügt, dem wird das Gleiche getan. Am besten ist, wenn die Regeln festgeschrieben sind und von unabhängigen Instanzen überprüft werden, z. B. von Gerichten.

Modell 3: Bei Harry Potter gibt es einen wichtigen Zauberspruch: Expelliarmus. Er dient nicht der Vernichtung des Gegners, sondern entwaffnet ihn. Harry Potter selbst muss sich am Ende im siebten Band selbst opfern, weil er einen Teil des Bösen in sich trägt. Er erklärt sich dazu bereit. Am Ende wird allerdings das Böse besiegt, ohne dass er stirbt. Das klingt doch alles schon mal ganz gut. Wie entwaffne ich den anderen?

Modell 4: Jesus fordert uns auf, unsere Feinde zu lieben. Jeder Mensch, der uns begegnet, und wenn er noch so ätzend ist, ist von Gott gesandt. Wir können was von ihm lernen. Jesus kämpft für das Gute, aber er wehrt sich nicht gegen seine Feinde und wird gekreuzigt.
Dieses Modell wäre optimal, wenn sich alle daran halten würden. Es beschreibt, wie Gott sich die Welt vorstellt. Wenn alle Menschen daran glauben würden, hätten wir Frieden und Gerechtigkeit. Eine Welt wie im Traum. In Gottes Augen sind selig, die gerecht und barmherzig und arm sind.

Allerdings gelingt es uns selbst meistens nicht, fair und gut und gerecht zu sein. Schon gar nicht gegenüber unseren Feinden. Die Frage ist: Liebt Gott uns dann noch?

Gott verspricht uns eine Welt, in der kein Feind uns etwas anhaben kann. Er will, dass wir daran glauben und auf ihn vertrauen. „Wenn Gott für uns ist, wer kann gegen uns sein?"

Jesus zeigt uns, wie Gott wirklich ist. Er misst uns nicht an unserem Erfolg. Er misst uns nicht an unseren Fehlern. Er misst uns überhaupt nicht an dem, was wir tun. Er liebt uns, wenn wir ohnmächtig sind. Er liebt uns, wenn wir schwach sind. Er liebt uns, wenn wir unfair waren. Er liebt uns, wenn wir nicht an seine Verheißungen glauben. Gott ist für uns, grundsätzlich und einfach so. Damit wir etwas von Gottes Liebe haben, müssen wir ihm nur vertrauen. Sonst nützt sie uns nicht viel.

Gott ist für uns. Irgendwie wäre es auch schlecht, wenn Gott gegen uns wäre. Wenn er uns alle Fehler vorrechnen würde. Wenn er uns nur dann liebt, wenn wir so sind, wie er uns gerne hätte. Aber Gottes Gerechtigkeit ist anders: Er steht zu dem Menschen, der ihm vertraut und an ihn glaubt.

Deshalb können unsere Feinde uns nichts anhaben: „Wer kann gegen uns sein?" Gott ist für uns, selbst im Leiden und sogar, wenn wir sterben müssen. Wir gehören zu ihm. Daran kann keine Macht der Welt etwas ändern.

Darum können wir an der Welt bauen, wie Jesus sie sich vorstellt. Egal, was andere denken. Wir gehören mit Jesus zusammen und bauen an einer Welt, die optimal ist. Und Gott verspricht: Sie wird kommen, diese Welt. Egal wer gegen uns ist.

Zum Abschluss kann eine Segenshandlung vorgenommen werden *(siehe ganz unten)*.

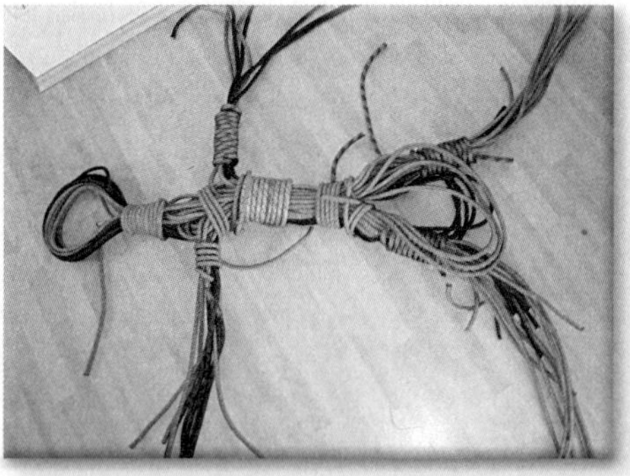

Expelliarmus, entwaffne dich selbst

Tilmann Lautzas 2004/2014

Expelliarmus:

Dieser Song passt nach der Ansprache. Man muss sich die Textaufteilung genau ansehen, weil sie in den Strophen etwas unterschiedlich ist. Wenn man das Lied einmal draufhat, ist es eingängig und im Refrain auch zum Mitgrölen geeignet.

Reihenfolge: Strophe 1 – Strophe 2 – Refrain – Strophe 3 – Refrain – Strophe 4 – Schlussrefrain.
Den Refrain kann man mehrfach wiederholen, dabei ganz langsam beginnen und dann immer schneller werden. Infos zum Inhalt siehe Andachtstext: Modell 3 Harry Potter.

Alternativ aus HuT: ***309 In deinen Augen***

Choräle

Ist Gott für mich (z. B. Strophen 1-2+5+7)	*EG 351*
Ein feste Burg ist unser Gott	*EG 362*
Bis an das Ende der Welt	*HuT 392*

Klassiker

Da ist ein Sehnen/There is a longing	*HuT 112*
Keinen Tag soll es geben	*HuT 213*
Du bist meine Zuflucht	*HuT 209*
Wo Menschen sich vergessen	*HuT 332*
Wir haben Gottes Spuren festgestellt	*HuT 298*
Wie ein Fest nach langer Trauer	*HuT 300*
Halte deine Träume fest	*HuT 308*
Jochen-Klepper-Lied: In jeder Nacht	*HuT 317*

Ansonsten eignen sich viele Lieder aus HuT in den Kapiteln „Rechtfertigung und Zuversicht" 298-305 und „Angst und Vertrauen" 306-321 sowie 354 Herr, mache mich zum Werkzeug deines Friedens; 358 Jeder Schritt auf dieser Erde; 387 Lasst uns eine Welt erträumen; 388 Es kommt die Zeit.

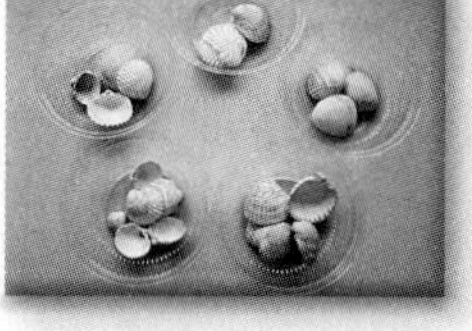

Anregungen

Anregungen für Gruppenarbeit, Jugendgottesdienste oder Projekte:

1. ***„Psychotest"*** *aus der Andacht:* ***Feind-Profile***
   - ➔ den Test um detailliertere Fragen erweitern (wie viele Gegner, wer genau?)
   - ➔ Auswertung ausdenken („du bist ein aggressiver Typ", „manchmal hast du nicht genug Mumm", „du solltest dich etwas zurückhalten", ...)
   - ➔ Gespräch, auch in Zweier- oder Kleingruppen
   - ➔ Leitfragen: Wie gehe ich mit Gegnern um? Was ist christliches Verhalten? Wie hilft mir Gott?

2. ***Aktuelle deutsche Songs:***
   Auswege aus Enge und Unzufriedenheit

   Es gibt einige aktuelle Lieder, die eine Situation der Unzufriedenheit beschreiben und unterschiedliche Auswege anbieten. Jugendliche können diese Songs, Videos und Texte in aller Regel schnell im Netz abrufen, sodass wir hier auf die Veröffentlichung verzichten.
   Die Fragestellungen sind für alle Beispiele gleich:
   - ➔ Wie wird die Unzufriedenheit beschrieben?
   - ➔ Woher kommt sie?
   - ➔ Beschreibe deine eigene Situation, wenn du unzufrieden bist.
   - ➔ Was macht dich unzufrieden?
   - ➔ Vergleiche Römer 7: Ging es Paulus und den Christen damals ähnlich?
   - ➔ Welche Auswege zeigt das Lied?
   - ➔ Ist das für dich ein Weg?
   - ➔ Welchen Ausweg aus dem Dilemma zeigt Römer 8?

Hier die Songs und Hinweise dazu:

OK Kid: ***Grundlos***

„… mein Gott, fühl ich mich eklig"

Selbst wenn ich mich schlecht fühle, kann ich plötzlich grundlos glücklich sein.

Was ist der Auslöser? Was muss passieren, damit es so kommt?

Gibt die Botschaft der Bibel einen Grund, glücklich zu sein, weil Gott uns nicht eklig findet? „Einen anderen Grund kann niemand legen, außer den, der gelegt ist." (1. Korintherbrief 3,11)

Mark Forster feat. Sido: ***Au Revoir***

„… ist alles so gewohnt, so zum Kotzen vertraut,
Mann, jeder Tag ist so gleich,
ich zieh die Runden durch mein' Teich"

Der Ausweg ist hier: weit, weit weg, und möglichst nie mehr zurückkommen. Der perfekte Song für work & travel und weltwärts – Freiwillige: „Ich sag dem alten Leben tschüss, Affe tot, Klappe zu …"

Kann ich mein altes Leben loswerden? Was verändert sich, wenn ich zurückkomme? Wie verändere ich mich? Gibt es andere Auswege?

Söhne Mannheims: ***Augenblick***

„… wenn der Verstand schreit, dein Herz streikt,
dann stell doch die Sanduhr waagerecht, sei du bereit."

Der Ausweg: Genieß den Augenblick. Klingt beim oberflächlichen Hören wie „Lebe im Hier und Jetzt". Das kann aber vertieft werden in Richtung „Kairos": Ergreife den richtigen Augenblick, lass dich nicht von der Vergangenheit einholen und überrumpeln, lass dich nicht von Zukunftsplänen blenden. Wenn wir spüren, dass Gott für uns ist, ist der Augenblick da.

3. ***Expelliarmus:** Harry Potter und Co.*

Harry Potter und viele andere Science-Fiction-Romane, Filme und Computerspiele eignen sich für das Thema, besonders mit Jungen.

Oft geht es um den Kampf Gut gegen Böse.

→ Was lest, seht oder spielt ihr?
→ Mit welchen Mitteln wird gekämpft?
→ Welche Mittel sind zu welchem Zweck erlaubt?
→ Wie fühlt sich das Opfer?
→ Szenen nachspielen, verändern, weiterführen.
→ Opferrolle spielen und reflektieren.

Grundsätzlich geht es dabei nie um die Entwertung des Stoffs. Vielmehr soll herausgefunden werden, was daran fasziniert und welche Rolle jemand gerne einnehmen möchte. Erst in der Phase der Vertiefung kann reflektiert werden, ob da alles mit rechten Dingen zugeht (wenn wir es aus Gottes Augen betrachten).

David Safier, Jesus liebt mich
mit Illustrationen von Ulf Keyenburg

4. ***Karikatur** aus „Jesus liebt mich" von David Safier*

In dem Komödienroman „Jesus liebt mich" kommt Jesus in einem kleinen Kaff in Norddeutschland wieder auf die Erde, um endlich das Weltgericht einzuläuten. Der Teufel ist auch schon da. In einer kleinen Karikatur sitzen die beiden am Tisch und machen Armdrücken – sozusagen als Auftakt zum letzten großen Showdown zwischen Gut und Böse. Jesus gewinnt souverän. Das Mädchen Marie steht daneben und wundert sich: Soll das heißen, dass am Ende das Gute gewinnt? Der Teufel grinst und antwortet: Nee, ich habe nur gewettet, dass ich verliere.

- → Unsere Erfahrung: Wer gewinnt, das Gute oder das Böse?
- → Beispiele: Bankenkrise; Umwelt; Schule und Ausbildung; Liebesbeziehungen.
- → Sind wir Teil eines großen Spiels? Welche Rolle haben wir darin? Welchen Auftrag haben wir? Können wir für das Gute kämpfen – und wenn, wie?

5. ***Ermutigung:** Hannes Strohkopp und der unsichtbare Indianer von Janosch*

Die Geschichte eignet sich vor allem für Kinder, aber auch Jugendliche erinnern sich ganz gerne daran. Infos dazu siehe letzter Absatz von 3.

Jede dieser Einheiten zum Thema (Gruppenstunden, Jugendgottesdienste, Andachten, Projekte) kann mit einer *Segenshandlung* abgeschlossen werden. Die Teilnehmenden bekommen Spruchkarten mit dem Monatsspruch oder anderen ermutigenden Worten aus den genannten Texten. Oder ihnen wird unter Handauflegung bzw. mit dem Zeichen des Kreuzes auf der Stirn ein solches Wort zugesprochen. Die Jugendlichen können es sich auch gegenseitig zusprechen. Dazu ist eine persönliche Formulierung hilfreich, z. B. „Weder Hohes noch Tiefes können dich von der Liebe Gottes trennen".

Tilman Lautzas

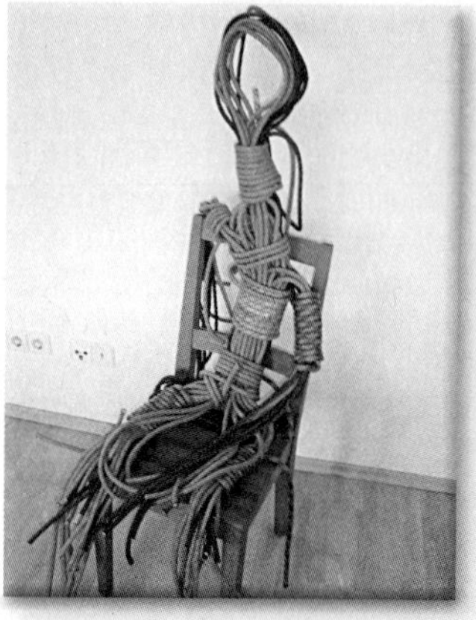

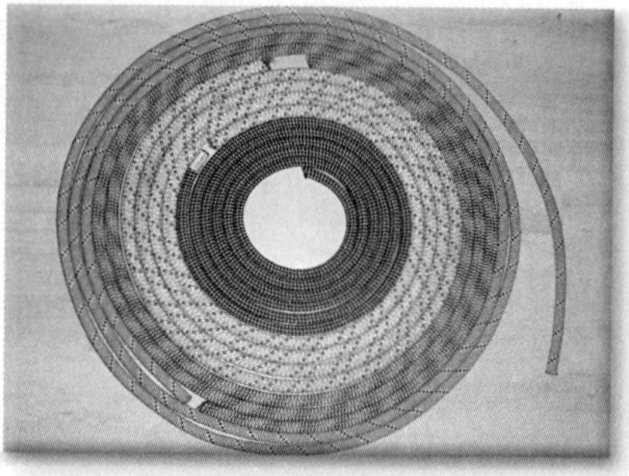

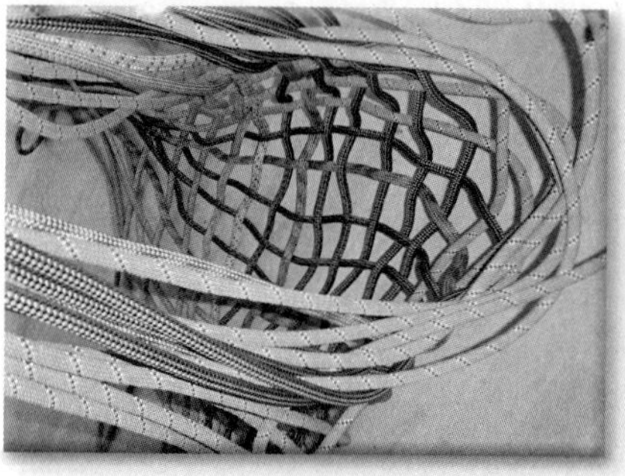

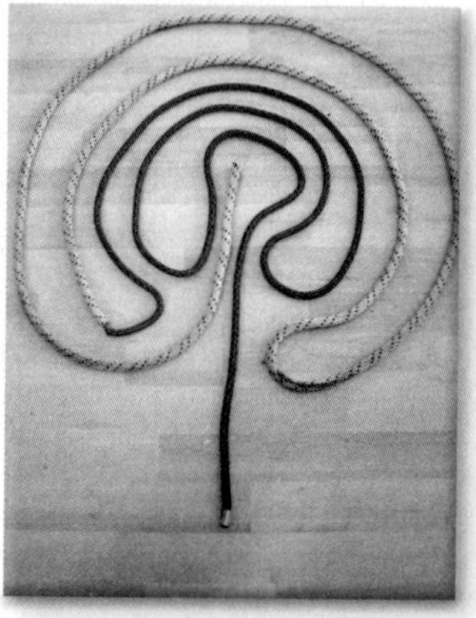

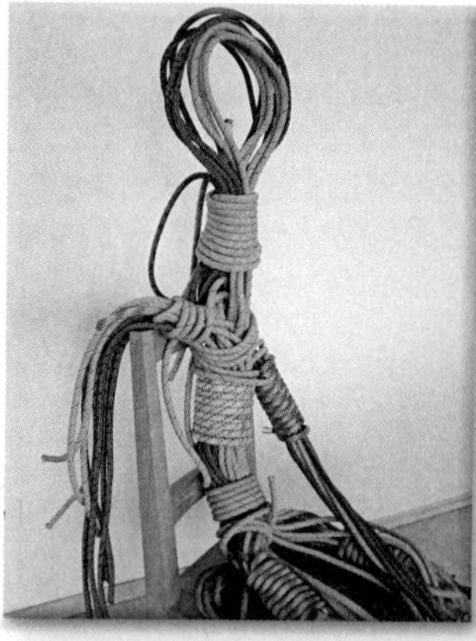

April

Wahrlich,
dieser ist Gottes
Sohn gewesen!

Matthäus 27,54 (L)

(NICHT NUR) EINE VATER-UND-SOHN-GESCHICHTE

Das glaubt doch keiner – oder?

Denke ich mir zumindest immer wieder mal. Wie oft haben mich meine Konfirmandinnen und Konfirmanden gefragt, was es denn mit der Jungfrauengeburt auf sich habe. Das könne ja wohl nicht sein. Das sei völliger Quatsch! Und dann – und das eine hängt ja mit dem anderen zusammen – Gott als Vater Jesu? Na, wer's glaubt ... Aber wer solche abstrusen Dinge behauptet, wundere sich nicht, wenn Menschen sich abkehren von so einem Glauben, ihn nicht nur für uncool halten, sondern für albern, unvernünftig und unnötig.

Andererseits: Sobald ich – auch mit meinen Konfis – einen Schritt weiter frage, was denn mit der Rede von Jesus als Gottes Sohn gemeint sein könne, wenn wir die Biologie außer Acht lassen; wenn wir uns stattdessen die Beziehung eines Sohnes zu seinem Vater, eines Kindes zu seinen Eltern anschauen, wie sie ist oder sein könnte – dann werden auf einmal andere Dinge wichtig. Dann ist die Rede von einer besonderen Nähe des einen zum anderen. Dann sprechen wir über die Verantwortung, die Eltern für ihre Kinder tragen, und über eine Liebe, die manche biografischen Holprigkeiten überstehen kann. Dann ahnen wir: Vielleicht steckt doch viel mehr und anderes in diesem Bild von Jesus als Gottes Sohn, als die Biologie uns lehren kann.

Und ein Weiteres kommt mir in den Sinn: Wenn Jesus Sohn Gottes ist und uns ermutigt, zu Gott auch als unsrem Vater zu beten – sind wir dann nicht alle Söhne und Töchter Gottes? Sind wir dann nicht sowohl Jesu als auch untereinander Geschwister? Das hat ja Konsequenzen! Natürlich habe ich mich mit meinem Bruder viel mehr, viel heftiger und – zumindest in frühester Kindheit – zum Leidwesen meiner Eltern auch viel lauter gestritten als mit anderen Menschen. Aber das Einander-Bruder-Sein stand dabei doch niemals infrage.

Wie wäre es, wenn ich meine Mitmenschen als Geschwister ansähe? Klar gibt's weiter Streit, klar gibt's unter meinen Geschwistern vielleicht einige, denen ich lieber aus dem Weg gehe – und doch: Es macht einen Unterschied, ob ich in meinen Mitmenschen nur Konkurrentinnen und Konkurrenten, nur Mittel zu meinen Zwecken, nur zufällige Produkte der Evolution sehe, oder Schwestern und Brüder. „Sehen als ist sein wie", hat ein Philosoph mal gesagt. Vielleicht heißt Glauben ja letztlich, die Welt, meine Mitmenschen und mich selber mit Gottes Augen zu sehen. Vielleicht ist Jesus zuerst und hauptsächlich ein Seh-Lehrer, der uns neues Sehen und damit neues Sein beibringt. Der Hauptmann unter dem Kreuz scheint es verstanden zu haben, wenn er die Worte unseres Monatsspruches ausspricht.

Jesus, der Hauptmann und der Evangelist Matthäus[1]

Nach allem, was wir wissen, ist Jesus der uneheliche Sohn von Maria und Josef (und es ist Josef hoch anzurechnen, dass er angesichts der unerklärbaren Schwangerschaft seiner Verlobten bei dieser bleibt und sie nicht ihrem Schicksal überlässt). Mit dem Begriff des Sohnes Gottes wird Jesus ein Titel zugeschrieben und nicht eine Aussage über seine biologische Herkunft gemacht.

Im Alten Testament ist zunächst der König Israels Sohn Gottes. So heißt es im Psalm 2 zum gerade eingesetzten König: „Du bist mein Sohn, heute habe ich dich gezeugt." (Psalm 2, 7)

Der Evangelist Markus zitiert diesen Vers in der Erzählung von der Taufe Jesu. Im Akt der Taufe adoptiert Gott den Menschen Jesus und macht ihn zu seinem Sohn; damit macht er deutlich, dass von nun an eine enge Verbindung besteht zwischen ihm und diesem Menschen.

---

[1] Vgl. zum Folgenden Evers, S., Verstehst Du, was Du glaubst? Eine kleine Auslegung des Apostolischen Glaubensbekenntnisses, Norderstedt ^{2}2013, 91 ff. und Luz, U., Das Evangelium nach Matthäus (Matthäus 26–28) (EKK I/4), Düsseldorf u. a. 2002, S. 367 ff.

Erst später wurde die Gottessohnschaft auch auf die Geburt Jesu bezogen. Am deutlichsten vielleicht in der Weihnachtsgeschichte des Lukasevangeliums. Johannes geht noch einen Schritt weiter: Für ihn ist Jesus nicht erst durch Geburt der Sohn Gottes, sondern schon als der vor seiner Geburt als und in Gott existierende Logos, das ewige Wort Gottes.

© Stadtkirchengemeinde Delmenhorst

Deutlich ist: Die Rede von Jesus als dem Sohn Gottes macht vor allem die spätere Bedeutung Jesu deutlich. Jesus ist der eingeborene, d.h. der einzige Sohn Gottes. Er steht in einer exklusiven Verbindung zu Gott als seinem Vater.

Der Gottessohntitel war übrigens auch in der Umwelt Israels und des jungen Christentums bekannt. Nicht nur in Ägypten war es üblich, die Pharaonen als Gottessöhne zu bezeichnen, sondern auch bei den Griechen und Römern gab es diese Vorstellung. Dort war es ausgerechnet der aus dem Lukasevangelium auch den biblischen Leserinnen und Lesern bekannte Kaiser Augustus, der den Titel „Gottessohn" für sich in Anspruch nahm. Lukas behauptet mit den frühen Christinnen und Christen dagegen: Nicht der Kaiser, sondern der von den Römern zu Tode gebrachte und von Gott zu neuem Leben erweckte Jesus ist der einzige und wahre Sohn Gottes.

Der Gottessohntitel, den der Hauptmann und die ihn begleitenden Soldaten angesichts des Todes Jesu aussprechen, ist der wichtigste Titel, den Matthäus zuschreibt. Selbst dort, wo er nicht explizit genannt wird, wie vor allem in der Erzählung von Jesu Geburt (Matthäus 2), steht er doch sachlich im Hintergrund.

Die Komposition des Matthäusevangeliums macht deutlich, dass der Mensch Jesus als Sohn Gottes die Erfüllung der Hoffnungen und Erwartungen sowohl des Gottesvolkes als auch der heidnischen (= restlichen) Welt ist. In einem wunderbaren Bogen zeichnet Matthäus das Bild von Jesus als dem Nachkommen Abrahams, der den Namen Immanuel (Gott ist mit uns) erhält, über die Sterndeuter aus dem Orient als Repräsentanten der heidnischen Welt bis hin zu dem bekannten Schluss des Matthäusevangeliums, in dem er Jesus sagen lässt, dass ihm alle Macht gegeben ist über Himmel und Erde, er also der wahre Immanuel, der wahrhaftige „Gott mit uns" ist.

In diesen Bogen hinein gehört auch unser Monatsspruch. Was in der Herkunft Jesu angelegt ist, was die Astrologen am Anfang verstanden, was die Jünger in Matthäus 14, 33 und 16, 16 bekennen und was Jesus selber am Ende des Matthäusevangeliums noch einmal in Kraft setzt, das bekennen hier der Hauptmann und die Seinen. Den latent antijüdischen Duktus des Matthäus, der sich aus dem Gegensatz zwischen dem bekennenden Hauptmann und den jüdischen Spöttern (Matthäus 27, 39–44) ergibt, sollte man in heutiger Auslegung nicht mitvollziehen. Was zur Zeit der Selbstfindung des frühen Christentums im Gegenüber zum Judentum eine gewisse Berechtigung gehabt haben mag, hat diese angesichts der Geschichte beider Religionen miteinander heute nicht mehr. Die Beschreibung aber, dass in Matthäus 27 ausgerechnet jene die wahre Bedeutung Jesu erkennen, von denen es am wenigsten zu erwarten war, während die, die es doch eigentlich besser wissen könnten, sich dieser Erkenntnis verweigern, mag auch heute noch ihr Recht haben.

Vater, Mutter, Kind – Familie ist wieder „in"

Das ist, betrachtet man aktuelle Jugendstudien, tatsächlich so. Jugendliche besinnen sich, so die SINUS-Studie aus dem Jahr 2012, „über alle Lebenswelten hinweg – in unsicheren Zeiten auf ‚traditionelle' Werte wie Sicherheit, Pflichtbewusstsein, Familie und Freundschaft".[2] Zwar steht die Bedeutung dieser „traditionellen" Werte in der Regel im Kontext sowohl eines „individualistischen Leistungsethos" und „hedonistischen ich-bezogenen Entfaltungswerten" (ebd.); zwar konkurriert die subjektive Bedeutung dieser Werte mit der nach wie vor fortschreitenden „Entstandardisierung" der Normalbiografie (sowohl im Privaten als auch im Beruflichen) und ist angesichts einer Vielzahl von „Patchworkfamilien", Scheidungskindern, Alleinerziehenden etc. nicht deutlich, was genau gemeint ist, wenn von „Familie" die Rede ist. Aber die grundsätzliche hohe Bedeutung von beheimatenden sozialen Räumen ist offenkundig.

---

[2] *http://wiki.dpjw.org/sowa/sites/default/files/Sinusstudie_Ergebnisse.pdf. Dort S. 6.*

Umfragen in der Evangelischen Jugend bestätigen diesen Befund. Immer wieder wird auf die Frage, warum Menschen sich an Angeboten kirchlicher (Jugend-)arbeit beteiligen, auf „die tolle Gemeinschaft“ verwiesen oder darauf, „dass man hier so sein dürfe, wie man ist“, dass man sich „zu Hause“ fühle und sich „freue, die anderen zu sehen“. Die Rede von Jesus als Gottes Sohn, die sich daraus ergebende Rede von uns Menschen als Geschwistern und als Kindern Gottes, mag in der Suche nach sozialer Beheimatung, in der Bedeutung von Gemeinschaft, Freundschaft und Familie bei jungen Menschen einen guten Anknüpfungspunkt finden. Anspruch und Realität klaffen aber oft in unseren Gemeinden weit auseinander. Diese Spannung aber muss in unseren Gemeinden ausgetragen werden.

Andachtsbaustein(e)

Wahrlich, dieser ist Gottes Sohn gewesen!

Erinnerst du dich noch? Weihnachten. Als wäre es gestern gewesen. Die Kerzen so schön. Die Lieder. Die Krippe. Maria und Josef. Und das Kind. Gottes Sohn. Das wusste er selber damals wahrscheinlich noch nicht einmal. Maria und Josef – die ahnten vielleicht, dass es etwas Besonderes auf sich haben würde mit diesem Kind. Die Hirten auf dem Feld – die ahnten es. Und die Sterndeuter aus weiter Ferne – die machten sich seinetwegen auf den Weg. Aber der kleine Junge in der Krippe – der ahnte noch nichts von dem Weg, der vor ihm liegen sollte.

Kein einfacher Weg. Ein Weg, der erst gefunden werden musste. Aufgewachsen als Sohn eines Zimmermanns, ausschauend aber immer nach dem, was über diese Welt hinausgeht und gerade so in dieser Welt mächtig ist.

Jesus macht sich auf, sucht Gott. Findet Gott. Gott findet ihn. Taufe im Jordan. Zur Vergebung der Sünden. Und dann die ersten öffentlichen Worte. Einladung zur Umkehr angesichts der nahenden Gottesherrschaft. Jesus sammelt eine Schar von Jüngern um sich herum. Nicht wirklich die Crème de la Crème der damaligen Gesellschaft. Handwerker, Fischer, einfache Leute. Viele Frauen auch. Sie ziehen durch die Lande. Jesus predigt von der Liebe Gottes. Von einer Liebe, die nicht danach fragt, was einer hat oder was eine kann oder was die anderen von ihr halten. Eine Liebe, die Grenzen überwindet, die wir in unseren Köpfen und Herzen festgemauert haben. Eine Liebe, die aneckt, weil auf einmal die, die meinen, die Weisheit und die Liebe und den Frieden Gottes gepachtet zu haben, mit leeren Händen dastehen, und die Witwen und Waisen, die Huren und Zöllner, die Frauen und Kinder, die Armen und Gebrochenen reich beschenkt werden.

Das große Festmahl, als das er sich das Reich Gottes vorstellte, lässt er Wirklichkeit werden im Teilen von Brot und Fisch. Die Gemeinschaft, die Gott schafft – und nicht menschliche Konventionen – lässt er Wirklichkeit werden bei seinen Besuchen bei denen, zu denen sonst niemand ging. Die Unversehrtheit des Lebens lässt er Wirklichkeit werden in der Vergebung der Sünden und der Heilung dessen, was krank ist und gebrochen und krumm und lahm und taub und blind.

Die Unmittelbarkeit des himmlischen Vaters lässt er Wort werden in dem Gebet, das er die Seinen lehrt und das nicht angewiesen ist auf Tempel, auf Institutionen und Funktionäre.

Den Seinen kommt in ihm Gott nahe, auch wenn Jesus selber sich wahrscheinlich nie als Gottessohn bezeichnet hat. Was hätte es auch gebracht? Wer Augen hat zu sehen und Ohren zu hören, versteht, was es mit Jesus auf sich hat.

Und die anderen? Es kommt, wie es kommen muss. Die Oberen fühlen sich bedrängt durch die Rede von einem Gott, der heil macht, was auf Erden als krank bezeichnet wird.

Sie fühlen sich verkauft durch ein Teilen, das denen gab, denen sie alles genommen hatten.

Sie fühlen sich in ihrer Macht beschnitten durch das Aufbrechen der Grenzen, die sie gezogen haben.

Sie sehen die verwaltete Religion in Gefahr durch die Vergebung der Sünden, die allen das Wort des Zimmermannes aus Nazareth schenkt.

Sie fühlen ihr Gottesbild sich in Luft auflösen durch das Bild Gottes, das Gott selber ihnen vor Augen stellt.

Sie verhaften ihn. Sie schlagen ihn. Sie peitschen ihn aus. Sie verurteilen ihn. Sie töten ihn.

Viele verlassen ihn.

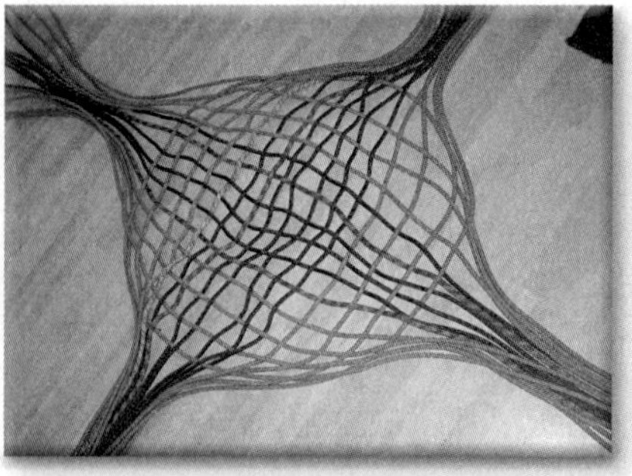

So war es damals. Und heute?

Sohn Gottes – das ist doch irgendwie angenehmer, wenn es bei Kerzenschein und Glühweinduft in weihnachtlicher Gemütlichkeit stattfindet. Ein niedliches Kind, holder Knabe und lockiges Haar und so.

Aber hier hängt ein geschlagener, ausgemergelter Mann am Kreuz, der nicht mehr will und nicht mehr tut, als die Liebe des Gottes, auf den er sein Vertrauen und sein Leben setzt, zu verkündigen. Da ist kein Kitsch mehr und keine Gemütlichkeit.

Viele verließen ihn. Damals. Und wohl auch heute – und dabei macht jetzt erst Sinn, ist jetzt erst mit Inhalt gefüllt, ist jetzt erst erfüllt, was wir zu Weihnachten gehört haben: Gott ist Mensch geworden.

Viele haben es nicht verstanden. Einige aber verstehen es noch heute, auch wenn es wohl niemand wirklich fassen kann. Der Hauptmann und die Seinen – sie waren die Ersten, die bekannten, was noch heute unser Leben trägt:

Wahrlich, dieser ist Gottes Sohn gewesen.
So ist er es gewesen. Hier ist er es gewesen. Am Kreuz. Und übrigens deshalb auch in der Krippe.

Wahrlich, dieser ist Gottes Sohn gewesen!

Es könnte auch ganz anders aussehen. Es muss ja keine Andacht sein. Warum nicht ein Gespräch, in dem junge Menschen, ausgehend von ihren Eltern-Erfahrungen, gemeinsam darüber nachdenken, was es bedeuten könnte, Gott als Vater anzusprechen. Wir haben dank des Gebetes, das Jesus uns geschenkt hat, dem Vaterunser, alles Recht dazu.

Warum nicht ein Gespräch, in dem wir gemeinsam mit jungen Menschen darüber nachdenken, was es bedeuten kann, wenn wir in unseren Mitmenschen Schwestern und Brüder sehen? Wie schon oben gesagt: Sehen als ist Sein wie. Und es ist nicht dasselbe, ob ich in meinem Mitmenschen nur den Konkurrenten sehe oder den, der mich in meiner Freiheit beschneidet, sondern die Schwester oder den Bruder. Was hätte ein

solches „Sehen als" für Konsequenzen in Schule und Beruf, beim Sport und in der Clique?

Wichtig erscheint mir in solchen Gesprächsversuchen, dass kein moralischer Zeigefinger erhoben wird. *Sehen als* ist keine Moral! Ebenso wichtig ist, dass unterschiedliche Sichtweisen auf mich selber und auf andere Menschen neben- und manchmal sogar miteinander bestehen können. Der Mensch, der mir Bruder oder Schwester ist, ist vielleicht *auch* Konkurrentin und *auch*, wer es denn gerne biologistisch mag, Produkt der Evolution, aber weder in dem einen noch in dem anderen geht der Andere gänzlich auf. Es gibt, solange wir überhaupt von Gott sprechen, wenn wir vom Menschen sprechen, immer diesen theologischen Mehrwert, der mich in allem, was ich bin, auch und hauptsächlich Kind Gottes sein lässt.

Schwierig die letzte Frage, die ebenfalls schon oben angesprochen wurde. Woher die Anerkennung, nach der sich – nicht nur! – junge Menschen so sehr sehnen und die in der Leistungs- und Haben-Gesellschaft, die wir nun einmal sind, immer als Produkt eigenen Tuns erscheint. Leitfrage mag sein: In welchen Situationen fühle ich mich angenommen? In welchen Situationen habe ich das Gefühl, ich genüge mir und anderen? Woran mache ich selber fest, was mein Leben, was ICH wert ist/bin? Was kann ich tun, um mir von dort ausgehend meinen „Wert" zu erarbeiten, und wo komme ich dabei an Grenzen? Wo bin ich schon jetzt angewiesen – nicht auf das, was ich selber leiste oder habe oder bin, sondern auf das, was mir von anderen zukommt, zugesprochen oder zugebilligt wird? Letztlich geht es um die Frage nach einer angemessenen Übersetzung der reformatorischen Erkenntnis der Rechtfertigung allein durch den Glauben in die Lebenswelt junger Menschen von heute hinein. Hätte ich hier eine Antwort, ich schriebe sie ganz sicher auf! Aber vielleicht ist ja schon das gemeinsame Fragen, das gemeinsame Sich-auf-den-Weg-Machen wertvoll.

Amen.

Bibeltexte

Psalm 2
Matthäus 6, 5–13
Römer 8, 14–17

Anweisung an Sisyphos

Was du tust, ist aussichtslos. Gut:
du hast es begriffen, gib es zu,
aber finde dich nicht damit ab,
Mann mit dem Stein. Niemand
dankt dir, Kreidestriche,
der Regen leckt sie gelangweilt auf,
markieren den Tod. Freu dich nicht
zu früh, das Aussichtslose
ist keine Karriere. Mit eigener
Tragik duzen sich Wechselbälge,
Vogelscheuchen, Auguren. Schweig,
sprich mit der Sonne ein Wort,
während der Stein rollt, aber
lab dich an deiner Ohnmacht nicht,
sondern vermehre um einen Zentner
den Zorn in der Welt, um ein Gran.
Es herrscht ein Mangel an Männern,
das Aussichtslose tuend stumm,
ausraufend wie Gras die Hoffnung,
ihr Gelächter, die Zukunft, rollend,
rollend ihren Zorn auf die Berge.

Lieder:

Du bist Du	*lieder zwischen himmel und erde 353*
Man sagt, er war ein Gammler	*lieder zwischen himmel und erde 320*
Was macht, dass ich so fröhlich bin	*HuT 334*
Menschen gehen zu Gott	*HuT 36*

Sehr schön auch, weil es die biblische Erzählung des Leidens Jesu mit unserer Gegenwart zu verbinden versucht:

Seht hin, er ist allein im Garten *EG 95*

Dr. Sven Evers

Mai

Alles vermag ich durch ihn, der mir Kraft gibt.

Philipper 4, 13 (E)

LAUTER GRENZVERLETZUNGEN

Von Pistis, Crystal Meth und Methylhexanamin

a – Ein Verdachtsfall

Olympische Spiele in Sotschi:
Am 21. Februar wird bekannt, dass im deutschen Team eine Athletin des Dopings überführt worden ist. Die Aufregung ist groß. Natürlich bestreitet die Sportlerin wort- und tränenreich, irgendetwas genommen zu haben. Doch das Labor findet in ihren Nahrungsergänzungsmitteln Methylhexanamin, und dieser Wirkstoff steht auf der roten Liste. Er gilt als Stimulanzmittel, das die Sauerstoffaufnahme bei großer Belastung verbessert.

Die Dopingpalette, mit der unzählige Sportler(innen) ihren Körper tunen, ist weitaus breiter und gefährlicher. Mittlerweile kommen bereits Nanopartikel zum Einsatz, die man sich in die Blutbahn spritzt, um den Sauerstofftransport zu fördern.

Doping ist umfassender Betrug – auch an sich selbst. Der Körper wird nicht überlistet, er wird geschunden. Dem eigenen Ich wird vorgespiegelt, etwas anderes zu sein, als es in Wirklichkeit ist. Nach außen wird eine schöne Fassade errichtet – bis sie irgendwann zerbricht.

Doping geschieht im Verborgenen. Es strebt nicht ins Rampenlicht, sondern führt ein Schattendasein.

b – Eine Meldung

Süddeutschland Anfang März 2014:

Von der tschechischen Grenze aus verbreitet sich vor allem im süddeutschen Raum der Gebrauch von Crystal Meth rasant. Bereits 13-jährige Schüler(innen) geben an, diese Designerdroge schon einmal ausprobiert zu haben. Crystal Meth steigert Leistung und Selbstwertgefühl. Es ist eine Modedroge, die genau in die Zeit passt, besonders beliebt bei Führungskräften und in den Schickimicki-Szenen. Ein teuflisches Gift, das schon nach dem ersten Gebrauch seine Zerstörungskräfte entfesselt. Das Gefühl, alles zu können, kreativ zu sein wie große Künstler(innen), erweist sich als Fata Morgana. Die Resultate, die man unter dem Einfluss von Crystal Meth erzielt, sind erbärmlich.

Die eigene Persönlichkeit zerfällt. Das Ich, das zu strahlen meint, befindet sich in Wahrheit in tiefster Ich-Finsternis. Es geht sich verloren.

Auch der Drogenmissbrauch vollzieht sich nicht auf offener Bühne. Denn schließlich will man ja vor den anderen mit einer Persönlichkeit glänzen, die scheinbar alles aus eigenen Quellen schöpft. Noch so eine Fälschungsaktion.

c – Leben im Komparativ

Höher, schneller, weiter! Schöner, heller, bunter! Stärker, länger, ausdauernder! Es gibt kein Halten mehr. Die freie Selbstbestimmung ist längst zur unbarmherzigen Leistungsunterwerfung verkommen.

Das Ich definiert sich in Vergleich und Abgrenzung. Da es sich für autonom hält, sieht es sich in ständiger Bedrohung. Die anderen, das sind die Konkurrenten und Konkurrentinnen, die es hinter sich lassen muss. Wohl deshalb hat der Sport solch eine gesellschaftliche Bedeutung. An ihm zeigt sich exemplarisch, dass in diesem Wettbewerb vor allem mit unlauteren Mitteln gespielt wird. Es zählt die Lüge – bis zu ihrer Aufdeckung.

Die Grenzen, die dabei allseits überschritten werden, verletzen das Ich in all seinen Bezügen. Es kommt sich dabei nicht näher. Es gerät mir aus dem Blick, obwohl es eigentlich auf nichts anderes fixiert ist als auf sich selbst. In der Postmoderne macht das Ich in ungewollten Augenblicken die bestürzende Erfahrung, dass es keine Substanz hat, dass es nichts ist als ein Schemen, zusammengehalten allein durch Dinge, Status und Selbsttäuschungen. Im Innern nur Leere. Das ist erschreckend und nicht auszuhalten.

d – Eine Gegenstimme

Paulus verschweigt nicht, was ihn stark macht. Er sagt es öffentlich. Schon das unterscheidet ihn von den Doping- und Drogenleuten heute. Und noch etwas ist anders! Er redet nicht von irgendwelchen Mitteln. Er redet von einer Beziehung! Er ist von einem Selbst-Verständnis geleitet, das nicht sich als Mittelpunkt der Welt betrachtet. Und er reagiert darauf nicht mit Schrecken und Abwehr. Er antwortet mit Vertrauen und Treue. Eben das meint das griechische Wort „pistis“. Wir können es auch mit „Glauben“ übersetzen. Paulus weiß sich geborgen. Er kommt zu sich, indem er zu Gott kommt. Er wird erst er selbst, als er sich seine Freiheit schenken lässt.

Und genau das ist die existenzielle Herausforderung, vor der jede Person im Licht des Evangeliums steht: sich aufzugeben, um sich wiederzufinden; nicht schon zu sein, sondern erst zu werden. Auch eine Grenzüberschreitung, aber eine heilsame.

Ein Gefängnisschreiben

Paulus schreibt seinen Brief an die Philipper aus dem Gefängnis. Er muss damit rechnen, zum Tode verurteilt zu werden. Dennoch scheinen die Haftumstände eher mild zu sein. Paulus kann Besuch empfangen und hat in Timotheus einen Verbindungsmann, der mehrfach Philippi besucht. Vieles spricht dafür, dass Paulus diesen Brief in Ephesus um das Jahr 55 nach Christus verfasst hat.

Die Gemeinde in Philippi ist die erste Gemeindegründung des Paulus auf griechischem Boden. Sie kann als seine Lieblingsgemeinde bezeichnet werden. Das Verhältnis ist herzlich. Das beweist die gesamte Atmosphäre des Briefes. Die Mitglieder suchen immer wieder die Nähe zum Apostel. (Philipper 2, 25) Nur von ihnen hat Paulus sich Geld geben lassen. (Philipper 4, 15 f.)

Philippi ist zur paulinischen Zeit eine bunte Stadt, die stark römisch geprägt ist und dennoch eine bunt gemischte Bevölkerung aufweist. Sie liegt an einer wichtigen Verbindungsstraße zwischen dem ost- und weströmischen Teil des Reiches. In Philippi existieren sehr verschiedene Religionen nebeneinander: römisch, orientalisch, griechisch und thrakisch – und mitten darunter die kleine christliche Gemeinde. Das stellt keine Besonderheit dar, sondern den Normalfall.

Der Philipperbrief ist nicht in einem Guss geschrieben. Inhaltlich wird der realen Lage (Gefängnis, Todesgefahr) mit einer Stimmung begegnet, die sich schwer damit vereinbaren lässt: Durch viele Zeilen weht eine tiefe Freude. Das Verhältnis zur Lieblingsgemeinde ist ungetrübt, die Verbindung eng. Theologisch treten die Fragen nach dem Sterben, nach der Gemeinschaft mit Christus, seiner Wiederkunft und der Vollendung aller Glaubenden in den Mittelpunkt. Für Paulus bedeutet Todesnähe besondere Gottesnähe. Gerade an jener Grenze, an der sich jede Autonomie als entmachtet erfahren muss, erlebt Paulus einen Zuwachs an Möglichkeiten und Kraft.

Der Monatsspruch für Mai ist nahe am Briefende angesiedelt und fügt sich in einen Abschnitt, in dem Paulus der Gemeinde für ihre finanziellen Zuwendungen dankt. (4, 10–20) Dort fasst er im vorhergehenden Vers seine bisherige Geschichte als Apostel zusammen, die ihn in die unterschiedlichsten Lebenslagen geführt hat. Er macht keinen Unterschied zwischen hellen und dunklen Situationen, sondern stellt fest, dass er jede von ihnen angenommen habe. Die Begründung dafür folgt dann in unserem Vers. Paulus kennt das Leben. Ihm kann niemand etwas vormachen. Er bewegt sich zwischen Todesdunkel und Auferstehungslicht. Er ist ein gebrechlicher Mensch, der nicht gebrochen werden kann.

Autonomie und Glaube

In den Versuchen, mit Jugendlichen zu theologisieren, zeigen sich vor allem zwei Schwierigkeiten: Die Jugendlichen haben ein naturwissenschaftlich geprägtes Weltbild übernommen, das sich für sie nur schwer mit biblischen Aussagen in Beziehung setzen lässt. In der Regel werden biblische Aussagen als naiv und überholt abgetan, da ihre Aussagen einer naturwissenschaftlichen Prüfung nicht standhalten. Dahinter steht auch, dass die Jugendlichen sich „gerade" erst von einer Lebensphase verabschiedet haben, die einen unmittelbaren und positiven Glauben gekannt hat. Sie fühlen sich in ihrer Entwicklung ein gehöriges Stück weiter und identifizieren Glaube als eine Kindheitsphase, die überwunden ist.

Ein Zurück gibt es nicht! Wichtig ist stattdessen, diesen verkürzten Verstehenshorizont von Naturwissenschaft, von Religion und Glauben zu weiten und mit ihnen die lebensrelevanten Fragen zu bedenken, die jeden

Menschen umtreiben. Naturwissenschaft und Glaube stehen nicht in Konkurrenz zueinander. Sie behandeln völlig unterschiedliche Deutungsebenen. Beide erfordern sie ein hohes Maß an Reflexion. Denn um Plausibilität geht es sowohl bei dem einen als auch bei dem anderen. Aber während die einen Aussagen beweisfähig sind, sind die anderen vor allem entscheidungsfordernd. Biblische Aussagen provozieren eine persönliche Reaktion. Die lässt sich nicht vorherbestimmen. Aber damit ist ein Weg gefunden, mit Jugendlichen „bedenkenlos" über ihre Glaubensfragen zu reden. Es ist viel gewonnen, wenn sie verstehen, dass ihre Fragen keine Kinderfragen sind.

Die zweite Schwierigkeit ist eine entwicklungspsychologische. Jugendliche sind auf der Suche nach ihrer Identität. Sie probieren sich aus, sie experimentieren – und sie lösen sich ab von bisherigen Autoritätsbildern und -figuren. Jugendliche haben Schwierigkeiten, sich einen persönlichen Gott vorzustellen, der sie begleitet und schützt, zumal er von Erwachsenen häufig als der große Aufpasser dargestellt wird. So wird Glaube oftmals als Abhängigkeit gedeutet und wird damit genau zu dem, was komplett abgelehnt wird. Dieses Autonomiebestreben sucht zugleich nach Verbündeten, nach der Peergroup, die Bestätigung und Nestwärme gibt. Auch daran lässt sich anknüpfen. Spiritualität ist Beziehung und stiftet Verbundenheit.

Die Herausforderung besteht darin, neue und weiterführende (Deutungs-)Möglichkeiten aufzuzeigen. Manchmal ist das ein mühsames Unternehmen, aber immer ein lohnendes.

Der Monatsspruch rührt an eine grundlegende Lebenshaltung. Er fordert heraus, sich der eigenen Grenzen bewusst zu werden und zu überlegen, wie sie überschritten werden können.

Ich ist ein Anderer

Andacht

Drei Spielszenen und ein Kommentar

(Person A mit langem Trenchcoat, Sonnenbrille und Schiebermütze; Person B kann Junge oder Mädchen sein; C tritt am Ende als Kommentator[in] auf)

I)

B *(steht da mit einem Handspiegel und betrachtet sich intensiv) Bäh! (schüttelt den Kopf, lässt den Spiegel sinken)*
A Pssst! He du!
B Wer? Ich?
A Genau!
B Aber warum ...
A Pssst! Du siehst wohl nicht gerne in Spiegel, was?
B Nee! Zu viele Pickel und überhaupt! Ich würde lieber anders aussehen.
A Da kann ich dir helfen.
B Wirklich?
A Genau!
B Wie soll das denn gehen? Du kannst doch nicht zaubern, oder ...
A Pssst!
B Pssst?
A Genau! Nimm diesen Spiegel hier! In dem siehst du immer gut aus.
B *(nimmt den Spiegel und sieht hinein)* Boah!
A Jetzt siehst du anders aus.
B Stimmt! Boah, bin ich schön! *(betrachtet sich und stockt irgendwann).* Aber nur, wenn ich in diesen Spiegel schaue.
A Was macht das schon? Dann guckst du eben nur dort hinein.
B Nee, das ist doch nicht echt. Da tu ich ja nur so als ob ... *(gibt den Spiegel zurück und geht weg)*

II)

B *(macht Liegestütze, läuft hin und her)* Puh, ich kann nicht mehr. Ich bin fertig!

A Pssst! He du!

B Du schon wieder?

A Genau!

B Und was willst du?

A Pssst! Ich will dir helfen. Du scheinst nicht besonders sportlich zu sein.

B Die anderen nennen mich Mehlsack! Ich wäre gern so beweglich wie ein Ninja und schneller als ein Gepard.

A Du möchtest noch immer jemand anders sein, nicht wahr?

B Ja, wenn das ginge, sofort!

A Da habe ich etwas für dich. *(händigt A eine Schachtel aus)*

B Was ist das?

A Ein Wundermittel, das dich schneller und länger laufen lässt. Jeden Tag 5 Pillen, und bald kann dir keiner mehr was.

B Das klingt gut. Gleich mal ausprobieren. *(macht Liegestütze und läuft danach eine Runde)* Hey, das ist nicht schlecht. Ich merk schon was.

A Genau!

B Aber eigentlich ist es wie mit dem Spiegel. Ich bin das doch gar nicht. Es ist nur so eine komische Pille. Nein danke! *(gibt A Schachtel zurück und geht)*

III)

B *(trägt knallbunte Sachen)* Jetzt bin ich bunter als alle anderen.
A Pssst! He du!
B Oh nein, du schon wieder?
A Genau!
B Und was willst du diesmal?
A Nichts!
B Nichts?
A Genau! Naja, ich wollte dir nur sagen, dass du so schön farbig aussiehst.
B Danke! Aber eigentlich ist das gemogelt. Innen bin ich nämlich grau. Mausgrau!
A Ah, lass mich raten. Am liebsten würdest du jemand anderes …
B Pssst!
A Pssst?
B Genau!
A Aber da habe ich was für dich. Das macht dich bunt von innen. *(schüttet B ein Pulver in die Hand)* Einfach schlucken – und ab geht's!
B *(misstrauisch)* Was ist denn das?
A Guuutes Zeug!
B Und von wem ist das?
A Von meiner Freundin Christel Mess. Damit kannst du alles machen, was du willst. Die Leute werden dich bewundern.
B Oh ja, endlich jemand anderes sein. Klüger, witziger, cooler! Das wollte ich doch immer schon … Aber ein Pulver soll das bewirken? Ich weiß nicht!
A Probier's aus. Na los! Einmal ist keinmal.
B Na, wenn du es sagst … *(hebt die Hand zum Mund. Dann frieren beide in der Bewegung ein)*

IV)

C *(geht zu A und zeigt darauf)* Dann hast du also doch noch erreicht, was du die ganze Zeit über wolltest? Aber noch ist das Pulver ja nicht geschluckt. Und bislang ist ja jeder deiner Versuche gescheitert. Du hast es nicht geschafft, diese/n hier *(stellt sich zu B)* hereinzulegen. Er/sie hat immer noch erkannt, dass es so nicht geht. *(tritt noch dichter an B heran)*

Aber warum willst du eigentlich die ganze Zeit jemand anderes werden? Wie wäre es, wenn du erst einmal anfängst, du selbst zu werden, du selbst zu sein?

Du könntest dich morgens zur Ausnahme mal anlächeln trotz Pickeln und unreiner Haut. Du könntest Sport treiben und dich daran freuen, dass du es tust. Es wird immer welche geben, die schneller oder ausdauernder sind. Na und?! Du hast etwas zu erzählen. Du kannst etwas. Du bist wichtig und wertvoll. Es gibt Leute, die dich so mögen, wie du bist. Also fang an, du selbst zu werden. Such dich! Finde dich heraus! Forsch dir nach! Spring ins Leben!

Ich kenne einen Mann, der genau das gemacht hat. Er hat viel erlebt, Schweres und Schönes, Gefährliches und Großartiges. Er war kein Supermann, nicht einmal ein Held. Er war einfach ein Mann, der sich irgendwann nicht mehr wünschte, jemand anderes zu sein. Er hatte nämlich ein Geheimnis entdeckt. Ich muss nicht alles aus mir heraus können. Ich muss nicht stark sein. Ich werde stark gemacht. Allem bin ich gewachsen – jeder Situation, sagt Paulus. *Alles vermag ich durch ihn, der mir Kraft gibt.*

Das ist kein Geheimnis mehr, aber es ist ein Rätsel. Und du musst es lösen. Jede und jeder von uns. Ich bin sicher, dass wir das können.

(A und B lösen sich aus dem Freeze und treten mit C zusammen ab)

Ein Bruder war einer Versuchung erlegen und gab in seiner Bedrängnis das Leben nach der Mönchsregel auf. Als er danach wieder versuchte, sein Leben von der Regel bestimmen zu lassen, wurde er von der Trübsal über sein Versagen daran gehindert und sprach zu sich selbst: „Wann werde ich mich je so wieder finden, wie ich einst war?" Seine geistliche Kraft ließ immer mehr nach, und er brachte es nicht mehr fertig, richtig wie ein Mönch zu leben. Da suchte er einen Wüstenvater auf und erzählte diesem, wie es ihm ergangen war. Der Greis aber, nachdem er sich angehört hatte, was ihn bedrückte, erzählte ihm folgendes Beispiel:

„Ein Mann besaß einen Acker, der aber infolge seiner Nachlässigkeit verwilderte und schließlich voll von Unkraut und Dornen war. Als er sich das anschaute, ärgerte er sich sehr und sprach zu seinem Sohn: „Geh und säubere das Grundstück!" Der Sohn ging hin, um es in Ordnung zu bringen. Sobald er es aber genauer betrachtete und die Menge des Unkrauts und der Dornen erkannte, die darauf gewachsen waren, verließ ihn der Mut, und er sagte zu sich selbst: „Wann kann ich dies alles jemals herausjäten und säubern?" Damit warf er sich auf die Erde und fing an zu schlafen. Dies tat er aber viele Tage lang. Danach kam sein Vater, um zu sehen, was er fertiggebracht hatte, und fand, dass nichts getan war. Und er fragte ihn: „Warum hast du bis jetzt nichts getan?" Der junge Mann aber erwiderte seinem Vater: „Als ich gekommen war, um zu arbeiten, und die Unmenge von Unkraut und Dornen sah, verzweifelte ich daran, diese Arbeit je zu bewältigen, warf mich entmutigt auf den Boden und schlief ein." Da sprach sein Vater zu ihm: „Mein Sohn, mache jeden Tag nur ein so großes Stück Acker von der Verwilderung frei, wie dein Körper Raum einnimmt, wenn du auf dem Boden liegst. Auf diese Weise wird deine Arbeit bei Kleinem immer weiter fortschreiten, und du wirst ihrer nicht überdrüssig werden."

Als dies der junge Mann hörte, handelte er danach, und nach kurzer Zeit war das Grundstück gesäubert und bearbeitbar gemacht.

„So auch du, Bruder: Mühe dich bei Kleinem und lasse nicht nach, so wirst du den Mut nicht verlieren, und Gott wird dich durch seine Gnade wieder in deine frühere Ordnung hineinbringen." Als der Bruder dies gehört hatte, ging er von dannen, nahm feste Wohnung und tat mit aller Geduld, was der Greis ihn gelehrt hatte. Und so fand er Ruhe.

Rosen aus der Wüste, Ausgewählte Sprüche aus den Apophthegmata Patrum, zusammengetragen von Gregor Emmenegger Sieber, Books on Demand, Norderstedt 2009.

Lass uns begreifen, Gott,
dass wir unser Leben aus dem Gleichgewicht bringen,
wenn wir dich an den Rand rücken.
Lass uns erkennen, Gott,
dass wir sind wie Vögel mit gebrochenen Flügeln,
wenn wir ohne dich leben.
Lass uns einsehen, Gott,
dass du größer bist als jedes Bild,
das wir uns von dir machen.
Lass uns nicht aufhören, nach dir zu fragen,
und begegne uns immer von Neuem,
wenn wir nach dir suchen.

Wolfgang Blaffert

Drei Spiele

Im Improvisationstheater kommt es darauf an, eigene Grenzen zu überwinden und sich selbst weniger wichtig zu nehmen. Es gibt Unmengen an Spielen, die einem/einer dabei auf den Weg helfen. Hier exemplarisch ein Spiel, das sehr beliebt ist:

Bippedibopp

Eine Person steht in der Mitte eines Kreises.
Sie sagt zu irgendjemandem „Bippedi" … woraufhin die angesprochene Person rasch „bopp" sagen muss, ehe die Person in der Mitte es selbst tut. Sagt sie es nicht oder zu langsam, muss nun diese Person in die Mitte.
Sagt die Person in der Mitte irgendetwas anderes außer Bippedibopp und die angesprochene Person im Kreis sagt trotzdem „bopp", muss sie ebenfalls nun in die Mitte.
Das ist die Grundvariante, die in der Regel aber um verschiedene Figuren erweitert wird, die jeweils von drei Personen gestellt werden:

James Bond

Mittlere Person: steht lässig auf einem Fuß, mit dem anderen leicht angewinkelten Bein nur auf den Fußspitzen. Den gestreckten Zeigefinger (= Waffe) hält er unter den Mund und bläst in diesen, das heißt in die „Mündung" der Waffe hinein, Rest der Hand ist zur Faust geballt. Linke und rechte Person: Stützen sich mit beiden Händen auf die Schulter von M und sagen dahinschmelzend: „Oh, James!"

Elefant

Mittlere Person: fasst mit der einen Hand seine Nase, der andere – gestreckte – Arm geht über die Armbeuge des Armes schräg nach unten/vorn (Rüssel). Linke und rechte Person: stellen mit beiden Armen, die jeweils einen zu M offenen Halbkreis bilden, die Ohren dar.

Känguru

Mittlere Person: streckt die gefalteten Hände weit von sich (Beutel). Linke und rechte Person: stecken die Köpfe von unten durch die Arme, als würden sie aus dem Beutel schauen.

Flugzeug

Mittlere Person: hält das Steuer und macht eindeutige Motorengeräusche wie „brrrrrr" etc. Linke und rechte Person: bilden die Flügel.

Toaster

Mittlere Person: hüpft mehrfach mit angelegten gestreckten Armen hoch. Linke und rechte Person: fassen sich an die Hände, M. hüpft also innerhalb der Arme.

Es gibt noch jede Menge anderer Figuren. Der Phantasie sind hier keine Grenzen gesetzt.

Ziel des Spieles ist es, zu Fehlern zu animieren und diese zu akzeptieren, um auf diese Weise ein Stück weit von sich selbst loszukommen und Freiheit zu gewinnen.

Lieder

Freedom is coming	*HuT 402*
Ich werfe meine Fragen hinüber	*HuT 314*
Gottes Liebe ist wie die Sonne	*HuT 337*
Wir strecken uns nach dir	*HuT 333*

Wolfgang Blaffert

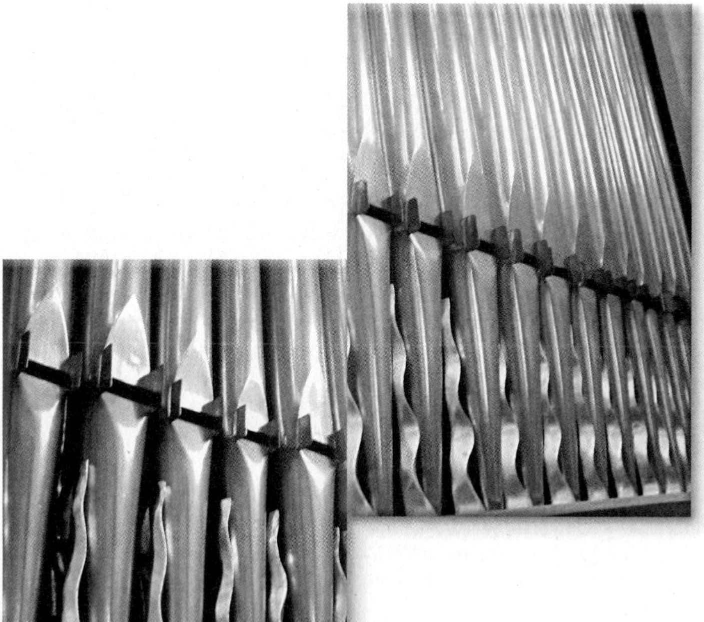

Juni

Ich lasse dich nicht los,
wenn du mich nicht segnest.

Genesis 32,27 (E)

KAMPF UND SEGEN

Da musst du dich durchbeißen

Jakob kämpft. Er kriegt einen Schlag auf die Hüfte. Es tut höllisch weh. Er gibt nicht auf und schreit es heraus: „Ich lasse dich nicht los, wenn du mich nicht segnest."

Ich habe mir als Jugendlicher bei diesem Vers immer Jakob als schwarzhaarigen Mann vorgestellt, der einen deutlich größeren Mann im Schwitzkasten hält. Der zappelt und windet sich, aber er kommt nicht frei. ‚Ich, Jakob stelle jetzt die Bedingungen. So und nicht anders hat es zu laufen. Ich lasse dich nicht mehr los, bis du ...'

Jakob am Jabbok erinnert mich an den kleinen David, der sich Goliath auf dem Schlachtfeld stellt – was für eine Chuzpe. Jakob ist ein Kämpfer. Vollgepumpt mit Adrenalin wird er den Schmerz der ausgerenkten Hüfte kaum spüren. Wer Handball, Fußball oder etwas anderes wettkampfmäßig betreibt, wird diese Erfahrung vielleicht schon einmal gemacht haben. Du hast dich verletzt, eigentlich müsste es höllisch weh tun, aber du willst spielen, gewinnen, die ‚Sache' zu Ende bringen. Erst nach dem Spiel, am Morgen danach, hast du das Gefühl, dich nicht mehr bewegen zu können, und gehst schließlich zum Arzt.

Hinter diesem Segen steht eine Männergeschichte. Es geht um Kampf und Auseinandersetzung, um Schmerz und Anerkennung. Den Segen gibt es nicht gratis. Er wird nicht nach einem vorgegebenen Muster Stück für Stück erarbeitet, er wird in einer Nacht erkämpft. „Da musst du dich durchbeißen!" Ich weiß nicht, ob Eltern das heute noch ihren Kindern auf den Weg mitgeben. Ich kann mich noch gut an diesen Satz meiner Mutter erinnern und habe ihn auch aus dem Mund der Mütter meiner Freunde gehört, wenn es darum ging, eine Aufgabe, eine schwierige Situation, einen Kampf zu bestehen – alleine, ohne Hilfe und Elternsupport. Heute werden Eltern vermutlich die Dinge selbst in die Hand nehmen. Die Räume, in denen Kinder und Jugendliche ‚die Dinge' selbst klären können, sind klein und eng geworden. Eine amerikanische Journalistin wurde zur „America's worst Mom" gekürt, weil sie in ihrer Kolumne in der „New York Sun" schrieb, dass sie ihren neunjährigen Sohn allein mit der U-Bahn fahren lasse. Sie ließ das aber nicht auf sich sitzen und schrieb ein Buch mit dem Titel „Free-Range Kids", am besten wohl mit ‚freilaufende Kinder' zu übersetzen.

Das Grauen der Nacht

Der Monatsspruch ist auch für den alttestamentlichen Glauben Teil einer „höchst eigenartigen Sage". Sie beantwortet drei Fragen:

erstens, warum ein Ort am Jabbok im Ostjordanland „Angesicht Gottes" heißt,

zweitens, warum ‚Jakob' in ‚Israel' „umbenannt" wird, und

drittens, warum das Fleisch über dem Hüftnerv nach einem Opfer nicht gegessen werden soll.

Aber schon das sind Rationalisierungen im Umgang mit dieser „höchst eigenartigen Sage", der der Monatsspruch entnommen ist. Wirklich befremdlich ist der Kampf zwischen Jakob und …? Ja, das ist die Frage, die die Ausleger schon lange beschäftigt: Mit wem kämpft Jakob dort? Die alttestamentliche Bibelwissenschaft sagt, dass im Hintergrund der Geschichte so wie sie aufgeschrieben wurde, eine andere ältere Geschichte steht, die von einem Flussdämonen erzählt, der bei Nacht Passanten überfällt und das Tageslicht scheuen muss. Das Böse, die Gefahr, hat in der Nacht seine und ihre Heimat. Anders als heute konnten nur Mond und Sterne etwas Licht in das nächtliche Dunkel bringen. Wer des Nachts unterwegs war, musste sich der Dunkelheit anvertrauen und hoffen, dass die unsichtbaren Gefahren vorüberziehen, bis die Morgenröte anbricht, die wieder neues Licht und Lebensmöglichkeiten schenkt. Die Macht der „Dämonen" ist deshalb zeitlich und räumlich begrenzt.

Aber in der jetzigen Gestalt der Geschichte ist aus dem Flussdämon Gott selbst, zumindest eine Erscheinung Gottes geworden. In der biblischen Tradition (Hosea 12, 5) und in der Kunst wird der Gegner Jakobs als Engel dargestellt, wie z. B. auf dem abgedruckten Gemälde von Delacroix. Der

Kämpfer ist nicht Gott selbst, aber eben auch kein dunkler Flussdämon. Jakob ringt jedenfalls mit einer Macht, die besondere Kräfte besitzt und diese Kräfte auf Menschen übertragen kann. In der Reflexion des Geschehens identifiziert Jakob das Wesen, mit dem er gerungen hat, mit Gott. Diese Identifikation wurde in der Erzähltradition der Geschichte möglich, weil es zur Urversion der Geschichte gehörte, dass der „Dämon" auch auf Nachfrage seinen Namen nicht preisgab. Im magisch-mythischen Denken ist das Kennen (und Nennen) des Namens mit Machtbesitz verbunden – „Ach wie gut, dass niemand weiß, dass ich Rumpelstilzchen heiß."

Im Nachdenken Jakobs über das, was in dieser Nacht geschehen ist, wird aus dem „Sieg" – er hat schließlich ‚das Wesen' im Griff – eine „Niederlage" – er konnte „nur" sein Leben retten und sah dafür das Angesicht Gottes. Das ist das eigentlich Ungeheuerliche.

Denn fester Bestandteil alttestamentlichen Denkens ist: Wer Gott sieht, muss sterben. Als Mose bittet, Gottes Angesicht zu sehen, spricht Gott zu ihm: „Mein Angesicht kannst du nicht sehen, denn kein Mensch wird leben, der mein Angesicht sieht." (2. Mose 33,20) Mose darf aber aus einer Felsspalte heraus Gott hinterherschauen. Und als er anschließend vom Berg Sinai herabsteigt, ist der Glanz auf seinem Gesicht so stark, dass das Volk ihn nicht ertragen kann und Mose sein Gesicht mit einer Decke verhüllen muss. Deutlich wird: Die göttliche Macht hat nicht nur heilende, sondern auch zerstörerische Kräfte. Beide Kräfte sind auch in der Jakobs-Geschichte am Werk. Jakob/Israel wird beschädigt und verletzt, aber er erhält den Segen, die Lebenskraft Gottes. Aber ist es Gott selbst, mit dem Jakob kämpft? Diese Deutung gibt Jakob dem Geschehen im Nachhinein, bei Tageslicht. Damit wird Jakob zum Vorgänger des Mose, und aus dem „Fersenhalter" (Jakob) wird der „Gottesstreiter" (Israel).

Wer die Jakobsgeschichte als ganze im Blick hat, dem fällt der Bezug zur ‚Betrugsgeschichte' (1. Mose/Genesis 27) auf. Die Lutherbibel betitelt dieses Kapitel „Jakob gewinnt mit List den Erstgeburtssegen". Er hatte seinen Bruder Esau betrogen und kurz bevor er ihn nach vielen Jahren wiedersieht, muss er sich den Segen gegenüber Gott erkämpfen. Vielleicht hält Gott in diesem Kampf sogar ‚Gericht' über Jakob und ringt Jakob so etwas wie ‚Buße' ab. Für den Leser der ganzen Geschichte werden die ‚Dinge' jedenfalls wieder ein Stück zurechtgerückt, und Jakob/Israel bleibt „Gegenstand der Wahl und des Interesses dieses Gottes". (Gerhard von Rad)

Generation Y

„Bleib dran! Gib nicht auf!" Ist das Zuspruch oder Zumutung?

„Sie verlassen Unis und Gymnasien mit Einser-Noten, strotzen dank liebevoller Förderung durchs Elternhaus vor Selbstbewusstsein und sind nach Schüleraustausch oder Auslandssemester international erstaunlich geländegängig. Sie scheinen selbstverliebt, risikoscheu und anspruchsvoll, meiden Führungsverantwortung ... sind dafür aber ausgeprägt freizeitorientiert." So beginnt ein Artikel zur Generation Y [das sind die in den Jahren zwischen 1985 und 2000 Geborenen] in der Frankfurter Rundschau vom 30. 10. 2013.

„Bequem, anspruchsvoll", FR vom 30. 10. 2013 von Stefan Sauer.

Dass so eine Einstellung, wie sie häufiger von Personalmanagern geäußert wird, nicht wirklich zutreffen kann, zeigt schon eine einfache Beobachtung: Heerscharen Jugendlicher stehen freitags und samstags vor den Kinokassen, um sich genau jene Filme anzuschauen, bei denen sich die ‚Helden', bevor sie ans Ziel kommen, bewähren müssen. Und die erfolgreichsten Blockbuster dehnen diese Bewährung über mehrere Folgen aus wie „Der Herr der Ringe", „Harry Potter" oder „Der Hobbit".

Es geht um Bewährung, Läuterung und das Durchstehen von Kämpfen und Konflikten. Also genau jene Eigenschaften, die im Eingangsstatement des FR-Artikels der jetzigen Jugend abgesprochen werden.

Was fasziniert so an diesen Geschichten und deren Verfilmungen, wo doch in der westlichen Zivilgesellschaft der Kampf mit Schwertern und Fäusten nicht gerade zum jugendlichen Lebensalltag gehört? Spiegeln sie die gesellschaftliche Wirklichkeit wider und zeigen, dass es nicht ohne ‚Kampf' geht und dass sich dieser ‚Kampf' lohnt, weil der Held belohnt – gesegnet – wird? Oder sind sie ein Ausdruck der Sehnsucht dafür, dass das Böse gebannt wird und Frieden einkehrt?

Jugendstudien der letzten Jahre belegen, dass Familie und Freundschaft, Treue und Verlässlichkeit zu den Werten schlechthin avancieren. Es soll Frieden herrschen – zumindest in der Welt, die sie überschauen und beeinflussen können. Insofern haben die Personaler recht: Vor dem Unternehmen rangieren jetzt eindeutig die privaten Beziehungen.

Auf zum Kampf oder doch lieber Frieden

Was haben Kaiser Wilhelm, der Revolutionsführer Karl Liebknecht und der Diktator Adolf Hitler gemeinsam?

Sie schmücken mit ihrem Namen die erste Strophe eines Liedes, dessen Melodie vor hundert Jahren jedermann und jedefrau trällern konnte.

Auf, auf zum Kampf, zum Kampf!
Zum Kampf sind wir geboren!
Auf, auf zum Kampf, zum Kampf,
zum Kampf ...

und dann ändert sich der Text je nach politischer Couleur: Aus dem Soldatenlied, das Kaiser Wilhelm besingt, wird das Arbeiterlied, das der ermordeten Revolutionsführer Karl Liebknecht und Rosa Luxemburg gedenkt, das die SA wiederum zu einem Marschlied auf Adolf Hitler umtextete.

Monarchisten, Sozialisten und Kommunisten und Nazis haben sich fast zeitgleich dieses Liedes bedient: „Auf, auf zum Kampf, zum Kampf. Zum Kampf sind wir geboren!" Kampf als Lebenssinn. Das muss für rechts wie links auch nach dem Gemetzel des Ersten Weltkriegs noch eine ebenso einsichtige wie lockende Lebensperspektive gewesen sein.

Ist dieser Perspektive heute noch etwas Positives abzugewinnen? Kampf hat zwei Seiten, eine ernste und eine spielerische. Mit der zunehmenden Ächtung des Kampfes auf dem Schlachtfeld setzte – unterstützt von den Massenmedien – der Siegeszug des Kampfes in den Sport-Arenen ein. Jeden Samstag fiebern und schreien Hunderttausende in den Stadien mit. Es werden Schlachtgesänge angestimmt, und sicher könnte man auch das alte Soldaten- und Arbeiterlied noch einmal umdichten auf Jogi Löw oder Jürgen Klopp: „Auf, auf zum Kampf ..."

Sport ist Kampf gegen Konkurrenten, gegen eine andere Mannschaft oder gegen die Uhr. Ist das Leben auch Kampf und der Sport das große Gleichnis dafür? Wer hat die besten Noten? Wer bekommt den attraktivsten Partner, die attraktivste Partnerin? Wer gewinnt beim Spiel, beim Sport?

Eine der schillerndsten Figuren in der Bibel ist Jakob, Zwillingsbruder von Esau. Auch er will der Beste, der Erste sein. Leider kam er einige Minuten nach seinem Bruder auf die Welt. Pech gehabt? Nein, Jakob kämpft mit allen erlaubten und unerlaubten Mitteln, um die Nummer Eins der nächsten Familien-Generation zu sein. Das alles gipfelt darin, dass er seinen

Bruder um den Segen des Vaters betrügt, indem er sich als Esau verkleidet und ausgibt. Als er enttarnt wird und die ganze Sache auffliegt, flieht er, baut sich eine andere, eigene Existenz auf. Aber es zieht ihn wieder zurück in die alte Heimat. Sein Vater Isaak und seine Mutter Rebekka sind tot. Nur sein Bruder Esau und dessen Familie leben noch dort im Ostjordanland. „Esau kommt dir mit einem ganzen Tross entgegen", haben seine Boten ihm mitgeteilt. Soll er jetzt noch einmal ins Horn blasen „Auf, auf zum Kampf ..."? Jakob schickt seine Boten noch einmal los, Esau entgegen, vollbeladen mit Geschenken.

Jetzt sitzt er hier an der Furt im tiefen Tal des Jabbok. Frauen, Kinder, sein ganzes Hab und Gut hat Jakob schon rübergebracht. Er ist allein, und die Nacht bricht herein. Wie wird Esau ihm begegnen? Seine ganze Familiengeschichte geht ihm durch den Kopf, als er plötzlich gepackt wird. Ein Wesen, ein Mann, er kann es gar nicht genau sagen, packt ihn und versucht, ihn niederzuringen. Jakob hält stand. Alle Kraft, die er hat, nimmt er zusammen. Keiner kann den anderen wirklich bezwingen, aber Jakob hat seinen Gegner fest im Griff. Und er lässt nicht los. Der eine oder andere Schlag trifft ihn zwar, aber er erlebt das wie in Trance. Er spürt keinen Schmerz. Er will das nur durchstehen. Wenn er sich selbst beobachten könnte – er wäre mehr als dankbar für den Tunnelblick in diesem Kampf. Da hört er den anderen rufen: „Lass mich gehen, denn die Morgenröte bricht an!" Aber Jakob lässt nicht los, und es entfährt ihm: „Ich lasse dich nicht los, wenn du mich nicht segnest."

Vermutlich hätte Jakob in dieser Situation wieder in das alte Lied einstimmen können: „Zum Kampf, zum Kampf sind wir geboren ...". Aber er will nicht mehr kämpfen, er will auch nicht mehr siegen, er will nur die Lebenskräfte spüren – gesegnet sein. Und an der Schwelle zwischen Nacht und Tag segnet ihn dieser Mann, der ihm nicht preisgibt, wer er ist.

Für Jakob ist es Gott selbst, kein Räuber, kein Engel, kein Flussgott. Es muss Gott selbst sein. Es ist pure Gnade, dass er es bis hierher geschafft hatte, nicht seine List und nicht das Glück sind es gewesen. Es ist Gnade, und er spürt zum ersten Mal eine tiefe Dankbarkeit für dieses Leben mit all seinen Seiten. Er will sich jetzt nur noch versöhnen – er will seinen Frieden finden.

Eine Krise kann dazu führen, dass ich die Flügel hängen lasse, oder anfange zu kämpfen mit den Menschen um mich herum oder mit mir selber und mit Gott. Jakobs langer nächtlicher Kampf ist ein Beispiel dafür. Jakob weiß nicht, ob die Sache am Ende gut ausgeht, aber Gott hat sich ihm zu erkennen gegeben.

Vor mehr als zehn Jahren war der Fußballer Heiko Herrlich Gast im ZDF-Sportstudio, Mittelstürmer bei Borussia Dortmund, Ende zwanzig. Er sollte bald zum ersten Mal Vater werden. Aber deshalb wurde er nicht eingeladen. Heiko Herrlich war schwer krank. Die Ärzte hatten einen inoperablen Tumor in seinem Stammhirn entdeckt. Was Heiko Herrlich in der Öffentlichkeit über seine Krankheit, über sein Leben und seine Hoffnung erzählte, war das Ergebnis eines sicherlich nächtelangen Ringens mit dem Unbekannten im stillen Kämmerlein. Heiko Herrlich sagte, er wollte Frieden finden, damit er, wenn er denn gehen müsse, im Guten gehen könne. Die ZDF-Reporter haben seine Freunde und Kameraden gefragt, wie es denn sei, wenn sie ihn besuchten. Sie haben übereinstimmend erklärt, eine große Ruhe und Gelassenheit gehe von ihm aus. Nicht der Kampf, sondern der Frieden ist das Ziel. Heiko Herrlich ist heute Trainer der U 17 bei Bayern München.

Jakobs Kampf am Jabbok – eine 90-Minuten-Konfirmandenarbeitsstunde

„Viel Glück und viel Segen", so heißt ein traditionelles Geburtstagslied. Es ist eine der umgangssprachlichen Wendungen, in denen ‚Segen' vorkommt. Glück und Segen gleichzusetzen liegt nahe, ebenso das Missverständnis von Segen als einer Art ‚magischem Schutzmantel'. Doch Segen liegt in Gottes Hand.

Was Segen bedeuten kann und wo er sich sogar mit Erfahrungen von Unglück und Verletzungen in Verbindungen bringen lässt, soll mit der biblischen Erzählung von Jakobs Kampf am Fluss Jabbok beleuchtet werden.

http://www.google.de/url?sa=t&rct=j&q=&esrc=s&source=web&cd=1&cad=rja&uact=8&ved=0CCAQFjAA&url=http%3A%2F%2Fwww.konfirmandenarbeit-ekhn.de%2Fdownloads%2Fsegen---kampf-um-segen---ka-stunde.doc&ei=55aqU5zcBKzH7Abu54CADA&usg=AFQjCNG_NFwwgMBRp1JvmpMwExy6cpKTbw&bvm=bv.69620078,d.bGE

Gebet zu 1. mose 32, vers 23 bis 33

Jede von uns hat einen engel
Laß uns ihn erkennen
Auch wenn er als blutgieriger dämon kommt
jeder von uns hat einen engel
der auf uns wartet
lass uns nicht vorbeirasen am jabbok
und die furt versäumen

Auf uns wartet ein engel

Jeder von uns kämpft mit gott
laß uns dazu stehen
auch wenn wir geschlagen werden
und verrenkt
jede von uns kämpft um gott
der darauf wartet
gebraucht zu werden

Auf uns wartet ein kampf

Jede von uns wird gesegnet
laß uns daran glauben
auch wenn wir aufgeben wollen
gib uns die dreistigkeit mehr zu verlangen
mach uns hungrig nach dir
lehr uns beten ich laß dich nicht
das kann doch nicht alles sein

Auf uns wartet ein segen

Jeder von uns hat einen geheimen namen
er ist in gottes hände geschrieben
die uns lieben lesen ihn
eines tages wird man uns nennen
land der versöhnung
bank die ihren schuldnern vergibt
brunnenbauerin in der wüste

Auf uns wartet gottes name

aus: Dorothee Sölle, zivil und ungehorsam, Gedichte.

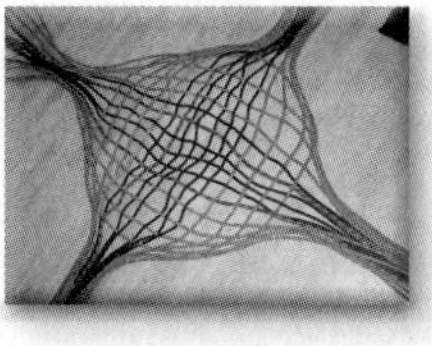

mach’s gut
ruft jesus dir zu
und traut dir zu
dass du es gut machst

du kannst
gute gaben einsetzen
gute worte weitersagen
gute ideen zur tat werden lassen
böses mit gutem überwinden

meine kraft ist in dir
meine liebe ist bei dir
meinen segen hast du

mach’s gut ruft jesus dir zu
mach’s gut
mit mir

Gottfried Heinzmann

Jakob

O Israel
Erstling im Morgengrauenkampf
Wo alle Geburt mit Blut
Auf der Dämmerung geschrieben steht.
O das spitze Messer des Hahnenschreis
Der Menschheit ins Herz gestochen,
o die Wunde zwischen Nacht und Tag
die unser Wohnort ist.

Vorkämpfer,
im kreißenden Fleisch der Gestirne
in der Nachtwachentrauer
daraus ein Vogellied weint.

O Israel,
du einmal zur Seligkeit endlich Entbundener –
des Morgentaus tröpfelnde Gnade auf deinem Haupt –

Seliger für uns,
die in Vergessenheit Verkauften
ächzend im Treibeis
von Tod und Auferstehung
und von schweren Engeln über uns
zu Gott verrenkt
wie du!

„Jakob", aus: Nelly Sachs, Werke. Kommentierte Ausgabe in vier Bänden. Herausgegeben von Aris Fioretos, Band 1: Gedichte 1940-1950. Herausgegeben von Matthias Weichelt. S. 57.

Lieder

I still haven't found what I'm looking for	*DAS LIEDERBUCH 56*
Tage wie diese	*DAS LIEDERBUCH 84*
Wie ein Fest nach langer Trauer	*HuT 300*
Segen	*DAS LIEDERBUCH 238*

Bernd Wildermuth

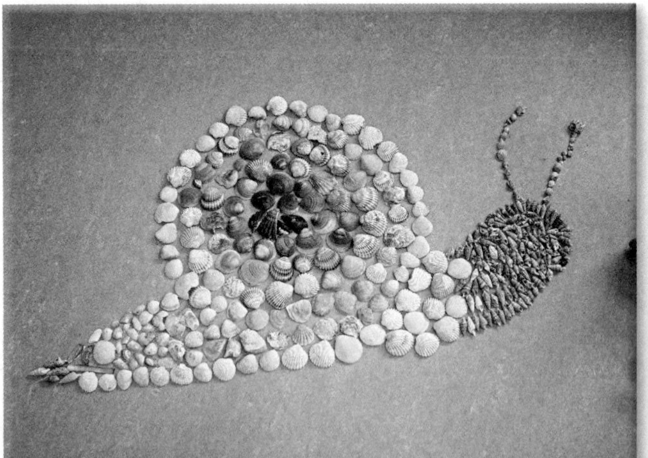

Juli

Euer Ja sei ein Ja,
euer Nein ein Nein; alles andere
stammt vom Bösen.

Matthäus 5, 37 (E)

SAG, WIE ES IST!

Ja oder Nein

Ja oder Nein? Nicht alle Fragen lassen sich so eindeutig beantworten, aber viele. Klar, es ist nicht immer leicht, sich zu entscheiden. Da fragt eine: „Kommst du heute Abend mit mir ins Kino?“ und ein anderer: „Wollen wir heute zum Italiener?“ Zu beidem sag ich gerne ja und muss doch zwischen den zwei Möglichkeiten wählen. Geh ich ins Kino mit meiner Freundin oder mit meinem Freund zum Italiener? Beides zugleich geht nicht. Sag ich ihr ja, muss ich ihm nein sagen und umgekehrt.

Nun denkst du vielleicht: „Sag doch: sowohl als auch oder weder noch.“ Ist das nicht die sinnvollere Antwort? Um nicht einem ein schlechteres Gefühl als der anderen zu vermitteln, kann ich beides ablehnen: weder noch! Oder wenn ich es beiden recht machen will, gehe ich vielleicht erst mit ihr ins Kino und treffe mich danach mit ihm beim Italiener: sowohl als auch!

In unserer pluralen Welt der scheinbar unbegrenzten Möglichkeiten fällt es mir schwer, wirklich selbstbestimmt zwischen den vielen sozialen, materiellen und geistigen Angeboten zu entscheiden. Obwohl die Vielzahl der Optionen mir doch eigentlich eine größere Wahlfreiheit bereiten sollte, führt die Überflutung des ständigen Entscheidungszwangs, bei dem ich auch noch allen anderen gerecht werden soll, schnell zur Überforderung. Ein ständiges Sowohl-als-auch ist einfach nicht durchzuhalten. Ein ständiges Weder-noch aber auch nicht, denn damit nehme ich mir selbst die Möglichkeit der Teilhabe und falle in die selbst gewählte Isolation.

Jesu Aufforderung: „Euer Ja sei ein Ja, euer Nein ein Nein; alles andere stammt vom Bösen", bleibt eine Herausforderung an jeden Einzelnen, an unsere Gesellschaft und an uns als Christen, als Kirche. Ewiges Rumlavieren ist ermüdend und selten produktiv, aber eine Entscheidung will natürlich wohl überlegt und die möglichen Konsequenzen abgewogen sein. Das wusste schon Pythagoras von Samos. Er sagt: „Die kürzesten Wörter, nämlich ‚ja' und ‚nein', erfordern das meiste Nachdenken."

Um dieses Nachdenken zu befördern, hier einige bunt zusammengewürfelte Zitate:

„Die Fähigkeit, das Wort „Nein" auszusprechen, ist der erste Schritt zur Freiheit."

Nicolas Chamfort (1741–1794), eigentlich Sébastien Roch Nicolas de Chamfort, französischer Dramatiker, Mitglied der Académie Française

„Das Unsympathische an Computern ist, dass sie nur ja oder nein sagen können, aber nicht vielleicht."

*Brigitte Bardot (*1934), Schauspielerin*

„Ein Vielleicht ist keine Brücke zwischen einem Ja und einem Nein. Es ist der Abgrund dazwischen."

*Ernst Ferstl (*1955), österreichischer Lehrer, Dichter und Aphoristiker*

Quelle: „Heutzutage"

„Nichts ist schwerer und nichts erfordert mehr Charakter, als sich in offenem Gegensatz zu seiner Zeit zu befinden und laut zu sagen: Nein."

Kurt Tucholsky (1890–1935), deutscher Schriftsteller und Journalist, Literatur- und Theaterkritiker der Zeitschrift „Die Schaubühne"

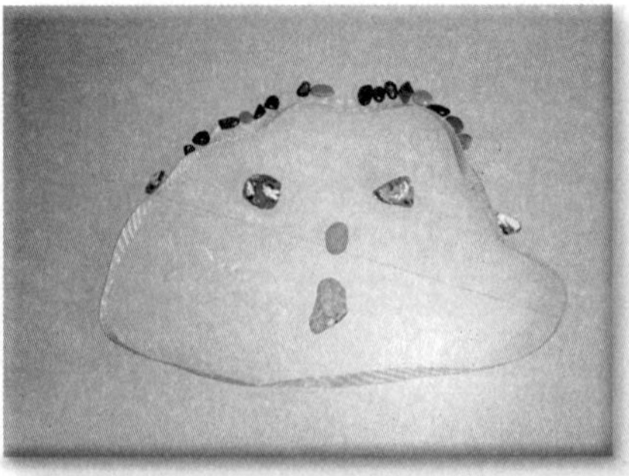

„Verbale Verunsicherung
Ein klares Ja, ein klares Nein,
so, lehrt die Bibel, soll es sein.
Doch häufig wird ein Nein verschleiert
und verbal herumgeeiert
Äußerst selten ist auch da
der Mut zu einem klaren Ja.
Wenn man gar ein Jein vernimmt,
weiß man genau, dass gar nichts stimmt.
Nach dem verbalen Chaos hier auf Erden
hofft man, es sollt im Jenseits anders werden.
Doch von den meisten Engeln auf die Frage,
wie denn da oben sei die Lage,
hört man, dazu sind sie schließlich da,
diplomatisch ein Alléluja."

*Karl Heinz Karius (*1935) aus: WortHupferl – Band 3, „Liebe das Leben – und die Zukunft umarmt dich!", www.worthupferl-verlag.de*

Weil wir Gott gehören

Der biblische Kontext, aus dem das Wort für den Monat Juli stammt, ist die Bergpredigt Jesu, die im Matthäusevangelium in den Kapiteln 5–7 wiedergegeben wird. Der Monatsspruch aus Matthäus 5, Vers 37 findet sich in einem die Verse 21 bis 48 umspannenden Abschnitt, den die Wissenschaft als Antithesen bezeichnet. Eingeleitet werden diese sogenannten Antithesen oft durch die Formulierung „Ihr habt gehört, dass ...; ich aber sage euch ..." Allerdings ist Jesu Argumentation nicht in dem Sinne antithetisch, dass er das Überlieferte einfach aufhebt, sondern vielmehr bekräftigt, schärft. Er erfüllt er das überlieferte Gesetz, die Thora, indem er es an der durch ihn selbst vorgelebten überströmenden Gerechtigkeit orientiert.

Gottes Gesetz ist kein starres Regelwerk, sondern Aufruf zu gelebter Mitmenschlichkeit! Dieses wird auch in der vierten Antithese (Matthäus 5,33–37) deutlich. Hier geht es um das Schwören, das schon nach den überlieferten Gesetzen der Thora abzulehnen ist, da alles, worauf der Mensch schwören könnte, gar nicht in seiner eigenmächtigen Verfügung liegt, sondern bei Gott. „Der Mensch gehört Gott und nicht sich selbst."

(W. Grundmann. Das Evangelium nach Matthäus. Theologischer Handkommentar zum Neuen Testament, Bd. 1, S. 167)

Dieses enthebt uns Menschen jedoch nicht unserer Verantwortung, sondern vielmehr begründet es diese: Weil wir Gott gehören, muss unser Denken, Handeln und Reden nicht an weltlichen Maßstäben orientiert sein, sondern an Gott. Deshalb: Euer Ja sei ein Ja, euer Nein ein Nein; alles andere stammt vom Bösen.

Farbe bekennen

Gerade für junge Menschen ist das Leben sehr bunt. Es gibt ein fast unbegrenztes Angebot von Meinungen, Möglichkeiten, Wahrheiten, Lebensentwürfen, Vorstellungen und Wünschen, an denen man sich orientieren oder von denen man sich auch bewusst absetzen kann. Die eigenen Positionen sind oft noch nicht gefunden, zumindest noch nicht fest zementiert. Sich ausprobieren, Erfahrungen sammeln, Unterschiedliches austesten, scheinbar fest Vorgegebenes infrage stellen – all dieses sind Privilegien der Jugend und wichtige Entwicklungsschritte hin zur Bildung der eigenen Persönlichkeit. Junge Menschen haben eine hohe Sensibilität für Authentizität. Sie fordern klare Positionen, an denen sie sich entweder reiben können oder die sie als für sich stimmig in ihr Lebensbild integrieren. Die aktuell gesellschaftlich präferierte plurale Indifferenz und das diplomatische Rumlavieren, wo alles geht und nichts wirklich als unverrückbar gilt, erschwert es jungen Menschen, ihre eigenen Positionen zu entwickeln.

Bekenn endlich Farbe! Sag, was du denkst! Zeig, wer du bist! Das sind berechtigte Aufforderungen der Jugend an die Generation ihrer Eltern und Großeltern. So haben mir auch Jugendliche, die ich gebeten habe, Matthäus 5, 37 zu interpretieren, geantwortet:

„Klare Entscheidungen zeugen von Ehrlichkeit und Fairness. Da weiß man, woran man ist."

„Fragesteller wissen, woran sie sind, ohne hingehalten zu werden. Wenn ich etwas frage, bekomme ich oft Wischiwaschi-Antworten."

„Ich finde es wichtig, sich nicht anzupassen und anderen nach dem Mund zu reden um des eigenen Vorteils willen, aber das erfordert ganz schön viel Mut und Selbstsicherheit."

„Das Leben ist nur dann Leben, wenn es klare Ziele und Vorstellungen gibt. Diese müssen aber nicht für alle wahr sein. Es ist okay, wenn ein Standpunkt seine individuelle Geschichte hat."

„Man sollte sich eigentlich immer trauen, seine Meinung zu sagen und davon selbst überzeugt sein. Das bedeutet aber nicht, dass man seine Meinung nicht auch überdenken sollte. Doch schlussendlich soll man sich selbst sicher sein und nicht wankelmütig."

„Manche Entscheidungen sind schwer, aber ich bin in meinem Entschluss und alle Zeit getragen von Gott."

Ja, nein – verlässlich sein?

Andacht

Euer Ja sei ein Ja,
euer Nein ein Nein;
alles andere stammt vom Bösen.
(Matthäus 5,37)

Ja, wenn das mal so einfach wäre. Das mit dem Ja geht ja noch. Aber Nein sagen? Das fällt mir oft schwer. Ich lasse mich gerne begeistern, bin gerne mit dabei. Ich habe Freude daran, etwas anzupacken und zu gestalten. Ich habe Freude daran, etwas fertig zu bekommen.

Und dann geht es mir manchmal so, dass ich zu viel Ja und zu wenig Nein gesagt habe, und nun bricht alles über mir zusammen. Statt fertig zu werden – Aufschub! Statt gestalten und es so richtig gut machen – nur noch irgendwie etwas zustande bringen! Statt mich auf andere einzulassen, zuzuhören, etwas gemeinsam machen – nur noch Hektik! Statt Freude – Stress! Und dann denke ich: Hätt ich doch bloß mal öfter Nein gesagt!

Vielleicht kennst du so etwas auch. Vielleicht ist es bei dir aber auch genau anders herum, und du gehörst zu denen, denen ein Nein stets leichter über die Lippen kommt als ein Ja. Vielleicht, weil ein Nein dich davor schützt, womöglich vor einen Karren gespannt zu werden, der gar nicht deiner ist. Vielleicht, weil ein vorläufiges Nein dir Freiheit gibt, ganz gemäß dem Ausspruch des französischen Schriftstellers Nicolas Chamfort, der da sagt: „Die Fähigkeit, das Wort „Nein" auszusprechen, ist der erste Schritt zur Freiheit." Denn wer Nein sagt, kann später immer noch Ja sagen. Wer aber bereits Ja gesagt hat, ist seinem Ja verpflichtet und kann kaum ohne Gesichtsverlust auf Nein umschwenken.

Trotzdem, ich wünsche mir natürlich schon eine Verlässlichkeit. In der Kirche gibt es viele Veranstaltungen, die nur möglich sind, weil Menschen mitmachen, deutlich Ja gesagt haben und dann auch zu ihrem Wort stehen. Schwierig wird es immer da – und das kennt ihr sicherlich auch – wenn man sich auf andere verlässt und dann auf einmal verlassen ist: Es soll das Anspiel für den Jugendgottesdienst geprobt werden, und wieder mal fehlen gerade die mit den tragenden Rollen. Blöd für die, die gekommen sind. Blöd für diejenigen, die versuchen, alles zusammenzuhalten. Und wenn das dann ein paar Mal passiert, gerät natürlich ein ganzes Projekt in Gefahr. Denn dann haben die, die immer kommen, auch keine Lust mehr mitzumachen. Oder es wird irgendwie spontan am Tag der Aufführung alles kreativ auf die Bühne gebracht, und das Resultat heißt: Gut gemeint ist noch nicht gut gemacht.

Es braucht Verlässlichkeit. Es braucht Eindeutigkeit. Oder?

Denn man kann ja auch fragen, ob es nicht viel klüger ist, sich seine Optionen offenzuhalten. Macht es nicht Sinn, seine Antworten so zu gestalten, dass vieles möglich bleibt? Ist das nicht schließlich und letztlich genau das, was uns die hohe Kunst der Diplomatie und Politik lehrt?

Keine Frage: Es gibt Situationen, wo die Antworten nicht eindeutig sein können, und wären sie es, müsste man darüber stutzig werden. Im politischen Geschäft gehen Entscheidungen meistens lange Konsensfindungsprozesse voraus, die versuchen, viele unterschiedliche Positionen zusammenzubinden. Die Folge: Hier gibt es nur selten ein klares Ja oder Nein.

Auch gibt es vieles, wo es kein eindeutiges Richtig oder Falsch gibt, sondern es sind Fragen, die situativ bedingt unterschiedliche und wechselnde Antworten zulassen. Werde ich gefragt: Bist du hungrig? Möchtest du was essen? Dann wird je nach Appetit meine Antwort mal Ja und manchmal auch Nein sein. Das wird niemanden irritieren, und kaum jemand wird es mir als Unentschiedenheit oder Wankelmütigkeit zum Vorwurf machen.

Werde ich aber Existenzielleres gefragt, werden auch die Antworten eindeutiger. Meinen Namen, meine Nationalität, meine Muttersprache – all dieses unterliegt normalerweise nicht wechselnden Situationen, sondern es bestimmt normativ, wer ich bin. Ja, ich bin der/ich bin die ... (– und hier denke einfach deinen Namen hinein). Nein, ich bin nicht der oder die andere, sondern ich bin ich!

Doch bin ich mir meiner selbst da wirklich so sicher? Bin ich wirklich ich? Einzigartig? Unersetzbar? Und wenn ja, woher kommt diese Einzigartigkeit?

Ich denke da an Sina und Flusi, unsere Meerschweinchen. Meine Kinder haben sie ausgesucht. Sie haben ihnen ihre Namen gegeben. Sie füttern sie, reinigen ihren Käfig, kuscheln mit ihnen und sorgen für sie. Letztes Jahr wurde Sina krank. Erst konnte sie ihre Hinterläufe nicht mehr bewegen, dann lag sie eines Morgens tot im Stall. Klar, meine Kinder waren traurig, und ja, wir haben Sina würdig bei uns im Garten bestattet. Aber auf die Frage, ob wir für Sina ein neues Meerschweinchen kaufen sollten, antworteten meine Kinder mit Nein. Nein, denn Sina ist nicht zu ersetzen!

Die Einzigartigkeit, die Unersetzbarkeit unseres Meerschweinchens Sina erklärte sich aus der Liebe meiner Kinder für ihr Haustier. Unsere Einzigartigkeit, die Unersetzbarkeit von jeder und jedem Einzelnen erklärt sich auch durch die Liebe, wenn auch durch eine ungleich größere. Weil Gott uns liebt, deshalb sind wir alle so einzigartig und wertvoll!

Du gehörst Gott. Sein Ja steht über deinem Leben. Das ist die tiefe Erkenntnis des Glaubens. Sein Ja gilt unumstößlich. Es bestimmt die Grundkondition unseres Lebens. Ich bin, weil Gott sein Ja zu mir sagt. Du bist, weil Gott sein Ja zu dir sagt. Ob es mir gut geht oder schlecht, ob ich wache oder schlafe, Gottes Ja steht fest. Es gibt mir Sinn und Orientierung. Es gibt mir Verlässlichkeit. Erfahre ich diese Verlässlichkeit Gottes, weiß mich von ihm angenommen und im Glauben getragen, dann – und nur dann – werde ich in der Lage sein, selber verlässlich mein Ja oder mein Nein zu sagen. Ich werde ablehnen, was einengt, Leben beschneidet und zerstört. Dazu sage ich: Nein! – Aber ich werde mich zu Gott bekennen und den bezeugen, der das Leben erschafft und erhält in dieser Zeit und in Ewigkeit. Dazu sage ich: Ja! – Ja, so sei es! Amen.

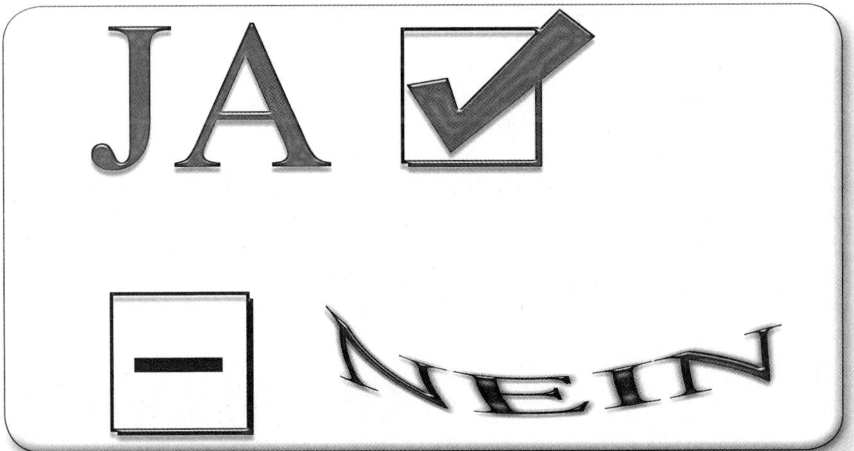

© Judith Lisser-Meister, pixelio.de

Impuls 1: Stimmübung Ja – Nein!

Mit dieser Übung trainieren wir die Stimme und stärken das Durchsetzungsvermögen.

Ablauf:

Jeder Teilnehmende sucht sich eine/n Partner/in. Die Paare verteilen sich im Raum und stellen sich einander zugewandt auf.

A sagt sehr leise zu **B**: „Ja". **B** antwortet etwas lauter: „Nein." **A** wiederholt – nun etwas lauter als **B** – „Ja!" **B** steigert die Lautstärke wieder ein bisschen: „Nein!" ... solange, bis beide brüllen.

Dann werden **A** und **B** stufenweise leiser, bis beide wieder flüstern.

Danach folgt ein zweiter Durchgang, in dem **B** „Ja" sagt und **A** „Nein".

Mareike Hadel, 50823 Köln, www.hegubald.com

Impuls 2: Das Ja-/Nein-Spiel

Das Ja-/Nein-Spiel braucht wenig Vorbereitung und lässt sich sowohl mit zwei Personen als auch in größeren Gruppen spielen. Grundidee: Jeweils eine Person stellt Fragen, auf die die andere(n) nur mit Ja oder Nein antworten dürfen. Ziel der Fragen ist es, jeweils etwas herauszufinden, eine Person, ein Tier, ein Land oder eine Geschichte (z. B. aus der Bibel), wobei der andere bzw. die anderen die Antwort bereits kennen. Wer mag, kann hierzu auch Spielkarten vorbereiten, auf denen die zu erratenen Begriffe stehen (z. B. für Personen: Eva, Noah, Abraham, Mose, David, Maria, Jesus, etc. – oder für Geschichten: Vertreibung aus dem Paradies, Noahs Arche, Tanz ums Goldene Kalb, David und Goliath, Jesu Geburt, Die Sturmstillung etc.).

Ziel des Spieles ist – neben dem Spaß am Spielen – zu erfahren, wie schwierig es ist, Fragen zu stellen, die nur mit Ja oder Nein zu beantworten sind, und wie schwierig es ist, nur mit Ja und Nein auf Fragen zu antworten.

Impuls 3: Ja oder Nein, weiß nicht

Im Vorfeld vorbereitete oder auch spontane Fragen werden der Gruppe gestellt, auf die hin sich jeder mit seiner Antwort zuordnen soll. Dieses geschieht nach der Methode der Menschlichen Skala, die in diesem Fall allerdings nur drei Markierungen kennt: Ja, Nein und weiß nicht. Jeder dieser Aussagen wird auf einer gedachten Linie im Raum eine Position zugeschrieben und evtl. durch ein Schild oder Blatt mit der entsprechenden Aufschrift kenntlich gemacht (z. B. linke Wand: Ja, rechte Wand: Nein, in der Mitte: weiß nicht). Nun werden die Fragen verlesen und die Jugendlichen aufgefordert, sich entsprechend ihrer Antwort zuzuordnen. Die Moderierenden können auf Einzelne zugehen und sie nach ihrer Motivation befragen, warum sie sich für ihre Antwort entschieden haben, ob die Entscheidung ihnen leicht gefallen ist etc.

© S. Hofschläger, pixelio.de

Impuls 4: Selbstreflexion und Gruppengespräch

Nachdenken allein oder zu zweit über das, was mir in meinem Leben zurzeit als so eindeutig erscheint, dass ich darauf entweder klar mit Ja oder Nein antworten kann. Zur Orientierung einige mögliche Impulse:

- → Kannst du eindeutig sagen, wer zu deinem Freundeskreis zählt und wer nicht?
- → Denke an den letzten Streit, den du hattest. Kannst du eindeutig sagen, wer da Schuld hatte?
- → Gibt es uneingeschränkte Liebe?
- → Weißt du, was du im Rückblick auf dein Leben einmal sehen möchtest?
- → Weißt du, was du als nächste Schritte tun müsstest, um deine Lebensziele zu verwirklichen? (Schule? Ausbildung? Studium? Eigene Wohnung? Mit dem Freund/der Freundin zusammenziehen?)
- → Gibt es etwas, was dich einzigartig macht?
- → Ist Frieden erreichbar?
- → Ist es richtig, trotz allen Leides in dieser Welt, an Gott zu glauben?
- → Kannst du sagen, wer du bist?

Im Plenum können Erfahrungen eingetragen und ausgewertet werden. Meine Vermutung ist, dass bei allen wichtigen Entscheidungsfragen, eine Antwort, die lediglich aus Ja oder Nein besteht, kaum befriedigt. Es bedarf eines längeren Gedankenganges, um die Antwort für sich selbst und andere einzuschätzen. Es gibt aber auch Fragen, die sich aus Situationen ergeben, wo es sofort einer Entscheidung bedarf.
Sammelt einige solcher Beispiele in der Gruppe (z.B. Erste Hilfe leisten – ja/nein, bei einem Streitfall dazwischengehen – ja/nein, gefragt, was wirklich passiert ist, die Wahrheit sagen – ja/nein etc.)

Weiterführende Fragen:

- → Sind Antworten, die ich einmal mit Ja oder Nein gegeben habe, revidierbar?
- → Wo muss ein Ja ein Ja und ein Nein ein Nein bleiben? Oder gilt dieses Gebot gar nicht mehr?
- → Wann ist es sinnvoll, dass es ein verlässliches Ja oder Nein gibt? Und wann ist es richtig, dieses aufzuweichen?

Teilnehmende nach Beispielen fragen.

(Denkbar ist dann eine Aufteilung in Kleingruppen, die jeweils eine kurze Anspielszene vorbereiten, die solch ein Beispiel szenisch erfahrbar macht.)

Impuls 5: Lied „Sag Es“ von Daniel Wirtz

(Text: www.musictory.de/musik/Daniel+Wirtz/Sag+Es+Wie+Es+Ist)
(Musik: www.youtube.com/watch?v=6b5Eo3vLdQ8)

Ich sag es wie es ist
unverzerrt aus meiner Sicht
ohne Dinge schön zu malen
nenn ich das Kind bei seinem Namen

bin hart aber gerecht
serviere niemals mundgerecht
fahr damit meistens schlecht
doch dafür bin ich echt

Ja Ja – es tut mir leid ich kanns nicht ändern
es ist bestimmt auch nicht die feine Art
ja klar – ich könnte lügen wie die Blender
die du aus Egogründen um dich scharst

willst du die Wahrheit hören frag mich
ob sie schön ist oder nicht
ich sags dir ins Gesicht

man sagt wer lügt dem glaubt man nicht
doch wehe dem der Wahres spricht
auch wenn die Pille bitter ist
wird es Zeit dass du sie frisst

Ja Ja – es tut mir leid ich kanns nicht ändern
es ist bestimmt auch nicht die feine Art
ja klar – ich könnte lügen wie die Blender
die du aus Egogründen um dich scharst

willst du die Wahrheit hören frag mich
ob sie schön ist oder nicht
ich sags dir ins Gesicht

man sagt wer lügt dem glaubt man nicht
doch wehe dem der Wahres spricht
auch wenn die Pille bitter ist
wird es Zeit dass du sie frisst

Schritt 1: Lied vorspielen und einladen zuzuhören. Frage: Was habt ihr gehört?

Schritt 2: Den Text verteilen und das Lied ein zweites Mal vorspielen. Welche Worte, welche Bilder gehen dir nach?

Schritt 3: Welche Antwortet gibt das Lied von Daniel Wirtz auf die Frage nach dem Ja und Nein in unserem Reden?

Lieder

Seid nicht bekümmert	*HuT 42*
Ja, gib uns den Geist	*HuT 73*
Ich glaube fest/Yo tengo fe	*HuT 103*
Weder Hohes noch Tiefes	*HuT 111*
Maisithi Amen	*HuT 126*
Amen	*HuT 127*
Gott ruft uns Menschen zu	*HuT 152*
Kehret um, kehret um	*HuT 169*
Was ist der Mensch	*HuT 236*
Erforsche mich, mein Gott, und prüfe	*HuT 265*
Bau nicht dein Haus/Don't build your house	*HuT 278*
Wag's und sei doch	*HuT 330*
Freedom is coming	*HuT 402*

Lieder aus HuT: „Durch Hohes und Tiefes"

Lars Dedekind

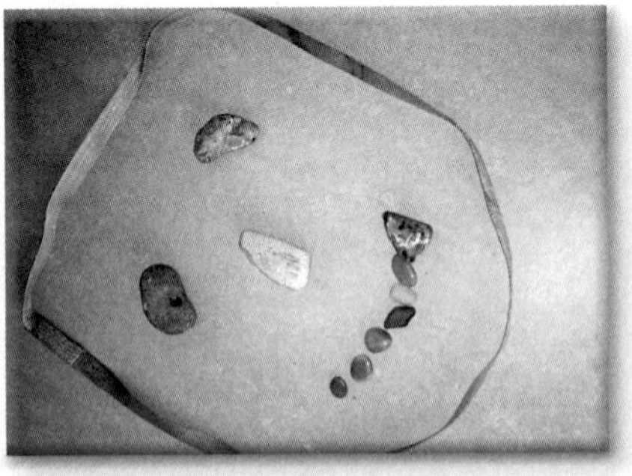

August

Jesus Christus spricht:
Seid klug wie die Schlangen und ohne Falsch wie die Tauben.

Matthäus 10, 16 (L)

TIERISCHE VERGLEICHE

Tiere sind auch nur Menschen

Mensch und Tier

Charaktereigenschaften von Menschen werden gern auf Tiere übertragen: lahme Ente und geiler Bock, listiger Fuchs und weise Eule, frommes Lamm und böser Wolf. Unabhängig davon, ob man diesen Tieren damit Unrecht tut, stellt sich die Frage, welche Funktion diese Zuordnung hat. Ich meine, diese Vergleiche bieten uns die Möglichkeit, menschliche Verhaltensweisen anschaulich darzustellen und sich dabei nicht gleich mit sich selbst beschäftigen zu müssen. Wenn da nicht die Schimpfworte wären ...

Schlange und Taube

Was macht die Klugheit der Schlange aus? Gut, sie kann sich perfekt verstecken und lautlos an ihre Beute heranschleichen. Das machen andere Tiere auch. Die Schlange hat die Fähigkeit, dort, wo sie den Kopf durchstecken kann, auch den ganzen Leib nachzuziehen. Ist die Rede von der Klugheit der Schlange vielleicht ein Hinweis darauf, zunächst gedanklich zu durchdringen, was man tut?

Die Taube – für den Pariser Weltfriedenskongress von Pablo Picasso gemalt – nimmt das biblische Friedenssymbol auf. Als Bildmarke (weiße Taube auf blauem Grund) hat sie sich in der Variante eines finnischen Graphikers durchgesetzt.

Klugheit und Ehrlichkeit

Eine christliche Familie versteckt während der Verfolgung durch Hitler-Deutschland einen Juden im Haus. Für Gefahrensituationen gibt es einen Kellerraum direkt unter der Küche. Die Familie wird verraten, und die Gestapo umstellt das Haus. Es bleibt gerade noch Zeit, den Gejagten ins Kellerverlies zu lassen. Auf die Fußbodenklappe kommt ein alter Teppich, darauf der Esstisch, welcher schnell eingedeckt wird. Als die Gestapo-Leute an die Tür klopfen, sitzt eine ganz normale Familie am Abendbrottisch und wirkt überrascht. Doch die Frage des Offiziers ist schneidend: „Wir wissen, dass Sie einen Juden verstecken. Wo ist er?" Der Familienvater empfindet eine Zwickmühle. Er möchte nicht lügen, aber auch das Versteck nicht preisgeben. So antwortet er: „Schauen Sie doch selbst nach, am besten gleich hier unter dem Tisch!" Der Offizier reagiert ärgerlich und lässt das ganze Haus auf den Kopf stellen. Unter dem Tisch sucht er nicht.

Quelle unbekannt

Reden – Hören – Reagieren

Jesus beruft zwölf Männer, um sie als Boten für das Reich Gottes auszubilden und auszusenden. Von Anfang an macht er ihnen klar, dass sie mit der Botschaft, die er ihnen anvertraut, nicht nur auf offene Ohren stoßen werden. Im Gegenteil, sie werden sich – ein weiterer Vergleich aus der Tierwelt – wie Schafe unter Wölfen fühlen. Darauf möchte er sie vorbereiten, indem er ihnen Hinweise für Verfolgungssituationen gibt.

Das 10. Kapitel des Matthäusevangeliums liest sich wie ein „Vademecum" – heute würde man Handbuch sagen – für Christen auf schwierigen Wegstrecken:

- ***Helft Menschen, die sich in Not befinden!*** (Vers 8)
- ***Macht euch keine Sorgen um Nahrung, Kleidung und Wohnung!*** (Vers 9 f.)
- ***Geht einfach weiter, wenn man euch nicht hören mag!*** (Vers 14)
- ***Hütet euch vor Menschen, die nicht vertrauenswürdig sind!*** (Vers 17 f.)
- ***Verlasst euch bei Verhören auf die Eingebungen des Heiligen Geistes!*** (Vers 19)
- ***Lasst euch von Hass nicht überwältigen!*** (Vers 22)
- ***Manchmal müsst ihr ausharren, ein anderes Mal fliehen!*** (Vers 23)
- ***Seid bereit, in Gottes Auftrag Nachteile in Kauf zu nehmen!*** (Vers 28 ff.)
- ***Stellt euch darauf ein, dass eure Familien euch nicht verstehen werden!*** (Vers 34 ff.)

Es lohnt sich, den Text als Ganzen zu lesen. Er verdeutlicht, wie revolutionär die Botschaft vom Anbruch des Reiches Gottes war und ist. Zugleich macht er klar, wie ungern sich Menschen in ihren Haltungen und Überzeugungen stören lassen.

Das Evangelium, das Jesus von Nazareth selbst verkündigt und seine Boten verkündigen lässt, zielt auf Veränderung!

Mit Gott leben und darüber reden

Kommunikation des Evangeliums

Junge Christinnen und Christen wachsen in Deutschland in einer völlig anderen Situation auf. Der christliche Glaube, der das sogenannte Abendland Jahrhunderte bestimmt hat, verliert seine Prägekraft. Dennoch ist die Gesellschaft, von Feiertagen angefangen über die vielen Kirchengebäude bis hin zum Religionsunterricht, vom christlichen Glauben nach wie vor durchdrungen. Was bedeutet es, in dieser Situation vom Reich Gottes oder vom Evangelium zu sprechen? Jedenfalls etwas anderes als das, was der biblische Kontext des Monatsspruches nahelegt. Meistens löst in unserer Gesellschaft das Reden über den Glauben keine extremen Reaktionen aus. Zugleich aber kann von einer gewissen Scheu gesprochen werden, über persönliche Glaubensüberzeugungen zu reden. Das gilt schnell als „nervig" oder unangemessen. Mitglieder religiöser Sondergemeinschaften, die werbend von Haus zu Haus gehen und sich dabei explizit auf Matthäus 10 berufen, gelten als Fanatiker. Glaube ist – so der unausgesprochene gesellschaftliche Konsens – vielmehr etwas Intimes, reine Privatsache. Man trägt ihn nicht vor sich her. Das gilt wohl auch bei der Benutzung sozialer Medien. Auf Twitter und Facebook spricht man kaum über religiöse Fragen, jedenfalls nicht auf der persönlichen Ebene.

„Generation Z"

„Irgendwie haben die Graukappen alle Plätze schon besetzt!" So formuliert es ein Jugendlicher, der gerade über seine berufliche Zukunft und über seinen Platz in der Gesellschaft nachdenkt. Er sieht sich dazu verurteilt – an welcher Stelle auch immer –, auf dem gut ausgebauten Straßennetz einer durchsanierten Gesellschaft seinen Lebensweg gehen zu müssen. Aber gleichzeitig ist in seinen Worten auch eine Sehnsucht zu spüren. Er wünscht sich vielmehr neue Ideen oder besser noch ein Ideal, für das er sein Leben einsetzen kann.

„Generation Z“ wird die Altersgruppe der nach 1998 Geborenen genannt. Sie müssen sich mit einem enormen Leistungsdruck auseinandersetzen. Er ergibt sich aus den insgesamt hervorragenden Startbedingungen für das Leben. Nun wird erwartet, dass sie etwas daraus machen. Die „Generation Z“ ringt um Anerkennung und möchte Karriere machen. Da bekommt Matthäus 10,16 eine völlig neue Bedeutung. Jetzt ist es nicht mehr ein Wort, das im Umgang mit Widerstand in Glaubensfragen hilft. Vielmehr wird es zum Ratschlag für ein besseres Vorankommen im Leben.

Methode zum Einstieg

„Was fehlt?“

Alle Teilnehmenden bekommen ein Blatt Papier mit folgenden Buchstaben und Zeichen:

E	Z	D
V	F	S
S	?	?

Sie bilden Zweier- oder Dreiergruppen und stellen sich die Frage, welche beiden Buchstaben fehlen. Lösung: A und N! Es handelt sich um die Anfangsbuchstaben der Zahlen „Acht“ und „Neun“. Die anderen Buchstaben stehen für die Zahlen Eins bis Sieben.

Hintergrund: Die Übung macht bewusst, dass sich manche Dinge erst erschließen, wenn man ein gewohntes Denkmuster verlässt. So ist es möglicherweise auch mit der Bedeutung der Vergleiche „Schlange“ und „Taube“. Man muss ein wenig um die Ecke denken, um diesem Vergleich etwas abzugewinnen. Außerdem führt die Übung zum Thema „Klugheit“ hin.

Bernd Weidenmann, Handbuch Active Training

Schlangentaube oder Taubenschlange

Andacht

Vor meinem Arbeitszimmerfenster sitzt im Sommer beinahe täglich eine Taube auf einem Ast. Ich mag sie, sie ist mir vertraut geworden. Sie kann still sitzen und sieht ein wenig edler aus als die vielen Tauben in den Innenstädten. Diese Taube beruhigt mich.

Wir laufen durch einen Kastanienwald im Bergell. Plötzlich vor uns eine Schlange, mehr als einen Meter lang. Wir erstarren. Sie verzieht sich langsam zwischen den Steinen am Wegesrand. Später stellt sich heraus, dass es sich um eine ungiftige Zornnatter handelte. Aber wer weiß das schon?

Wie soll man diese beiden Tiere zusammenbekommen? Eine Schlange ist eben eine Schlange und eine Taube eine Taube. Sie lösen völlig verschiedene Emotionen aus. Wie Taube und Schlange sollen wir sein. Das erscheint mir völlig unmöglich.

Deshalb ändere ich meinen Blickwinkel: Wenn es nun in diesem Fall gar nicht um unsere Wirkung geht, sondern darum, wie wir selbst auf andere Menschen reagieren?

So gesehen hat mich die Zornnatter schon beeindruckt. Sie ist zur Seite gegangen, aber ohne Aufregung. Elegant hat sie Platz gemacht. Zwischen den Steinen hat sie einen Weg gefunden, den sie sehr wohl, ich aber nicht gehen konnte.

Die Taube wiederum ist für mich ein Sinnbild für Gelassenheit geworden, eine Gelassenheit, die ihrer tatsächlichen Natur entspringt. Sie sitzt und sitzt und ist entspannt einfach eine Taube. Der rollende Verkehr wenige Meter neben ihrem Ruheplatz scheint sie nicht zu interessieren.

Möglicherweise will Jesus uns sagen: Glaubt daran, dass es einen gewundenen Pfad geben wird, wenn euch euer Weg verstellt wird, und lasst euch nicht aus der Ruhe bringen, wenn es laut und schwierig ist.

So gesehen wäre eine Kombination von Schlange und Taube doch eine feine Sache.

Geschichten zum Weiterdenken:

Zwei Fabeln des Aesop

Die Dohle und die Tauben

Eine Dohle sah, wie schön die Tauben es in ihrem Verschlag hatten. Da färbte sich die Dohle heimlich weiß und ging zu den Tauben, um es ebenso gut zu haben. Die Dohle verhielt sich ruhig und unauffällig, sodass die Tauben der Meinung waren, sie hätten ihresgleichen vor sich. Eines Tages aber vergaß sich die Dohle, machte den Schnabel auf und krächzte. Die Tauben erkannten sofort, mit wem sie es zu tun hatten, und jagten sie fort.

Mit der guten Kost im Taubenschlag war es nun vorbei, und die Dohle kehrte traurig zu ihren Artgenossen zurück. Doch diese erkannten sie wegen ihrer weißen Farbe auch nicht mehr und jagten sie ebenso fort.

So hatte die Dohle nun zweierlei gewollt, aber weder das eine noch das andere erreicht.

Aesop-Fabeln „Die Dohle und die Tauben", aus: „Die Fackel, Lesebuch für höhere Schulen", Vandenhoek und Ruprecht, S. 65, hille@abc.de, copyright 1995 abc.de Internet-Dienste

Die Schlange und der Landmann

Eine Schlange, welche ihren Verschlupf im Vorhofe eines Landmannes hatte, tötete dessen kleines Kind, worüber die Eltern in tiefe Trauer gerieten. In seiner Betrübnis ergriff der Vater ein Beil und wollte die Schlange, sobald sie hervorkäme, totschlagen. Wie sie nun den Kopf ein wenig herausstreckte, wollte er schnell auf sie loshauen, allein er verfehlte sie und traf nur die Öffnung ihres Schlupfwinkels. Nachdem sich die Schlange wieder in ihr Loch zurückgezogen hatte, glaubte der Landmann, sie denke nicht mehr an die Beleidigung, nahm Brot und Salz und setzte es vor die Höhle. Die Schlange aber zischte ganz fein und sprach. „Nie und nimmer kann Zutrauen und Freundschaft zwischen uns bestehen, solange ich das Beil sehe und du das Grab deines Kindes."

Aesop-Fabeln „Die Schlange und der Landmann", aus: „Tiermärchen aus aller Welt", Vandenhoeck und Ruprecht, S. 207, hille@abc.de, copyright 1995 abc.de Internet-Dienste

Gebet

Herr Jesus Christus,
Du schickst uns los, in ungewohnte Situationen und echte Herausforderungen.
Wir müssen reagieren auf unbequeme Fragen und komplexe Schwierigkeiten.
Deine Hinweise für den Lebensweg der Nachfolge können uns helfen.

Gib uns die Klugheit der Schlange, damit wir Wege wahrnehmen, die scheinbar verborgen sind.
Schenke uns die ehrliche Gelassenheit der Taube, damit wir aus innerer Ruhe heraus handeln können, wenn es bedrohlich wird.

Herr, wir brauchen beides: geschicktes Reden und Tun sowie Vertrauen auf Dich und Deine Möglichkeiten. Darum bitten wir Dich!
Amen.

Lieder

Wer nur den lieben Gott lässt walten	*EG 369*
Wer bringt den Fischen das Schwimmen bei	*HuT 357*
Vertrauen wagen	*HuT 369*

Tobias Bilz

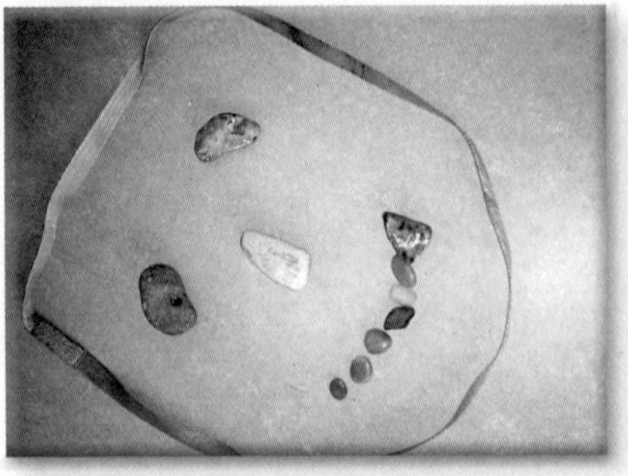

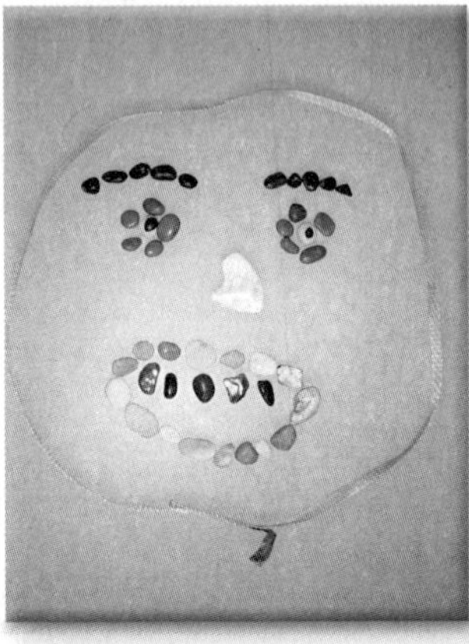

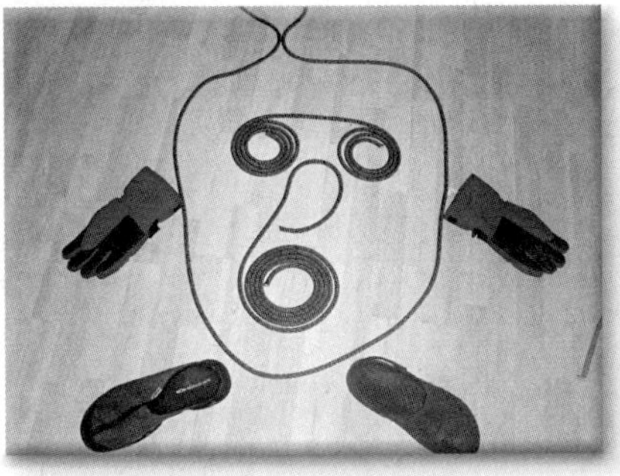

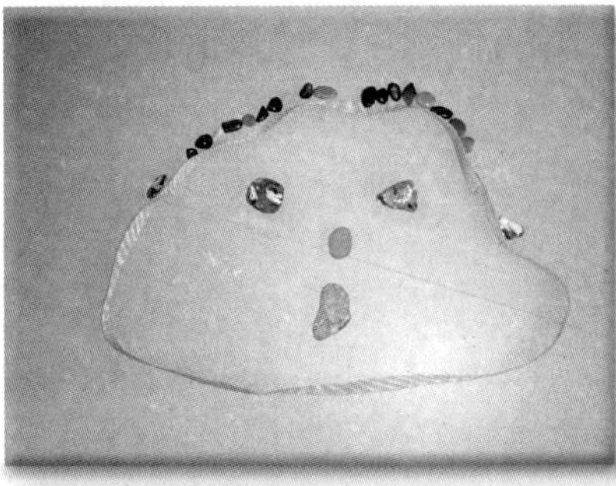

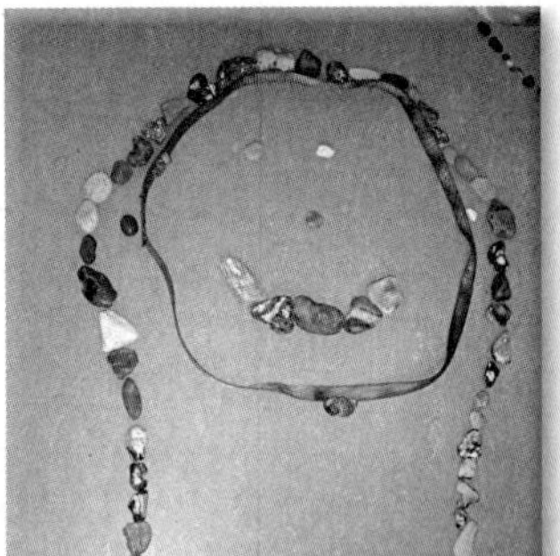

September

Wenn ihr nicht umkehrt und werdet wie die Kinder, so werdet ihr nicht ins Himmelreich kommen.

Matthäus 18,3 (L)

KLEIN WIRD GROSS

Werde erst mal erwachsen

„Werde erst mal erwachsen!“

„Stell dich nicht so kindisch an!“

„Wenn ich groß bin, dann werde ich ...!“

Was habe ich mich als Kind danach gesehnt, erwachsen zu werden! Endlich selbst entscheiden dürfen, schimpfen, statt ausgeschimpft zu werden, länger fernsehen, Moped fahren ...

Der Wechsel vom Kindsein zum Erwachsenen wird zumeist als Qualitätssprung, als Fortschritt, als eine besondere Errungenschaft und wesentliche Verbesserung der Lebensmöglichkeiten gesehen.

Kinder gelten auch heute häufig als erst noch zu formende, unvollkommene und damit weniger werte Wesen. Sie dürfen vieles noch nicht (zum Beispiel am Abendmahl teilnehmen). Erst mit zunehmendem Alter nehmen ihre Rechte, aber auch die zugemutete Verantwortung für das eigene Handeln zu.

Die Grenzen zwischen umsorgter Kindheit und eigenverantwortlichem Erwachsensein sind fließend und in den Kulturen unterschiedlich verortet.

Jeder Heranwachsende muss sich in einer wichtigen Lebensphase – der Pubertät – fast ständig mit der Frage auseinandersetzen, ob er nun noch ein Kind ist oder schon ein Erwachsener.

Der Bibelvers verkehrt diese Perspektive ins Gegenteil: Nur wer wie ein Kind wird, hat die Aussicht auf eine positive Veränderung hinsichtlich seiner Existenz vor Gott.

Werdet wie die Kinder

Wer das Matthäusevangelium liest, taucht ein in die Zeit ab dem Jahr 70 nach Christus. Juden und Christen leben nebeneinander in getrennten Gemeinden. Die sich herausbildende, noch sehr junge christliche Kirche wird unterschieden von der Vollkommenheit des Reiches Gottes. Die Christen wissen: Unter ihnen geht es nicht perfekt zu. Sie sind Lernende auf dem Weg hin zur Gottesherrschaft. Die Gemeindeglieder müssen zum rechten Tun und Miteinander eingeladen werden. Hierfür sind das Leben und die Worte Jesu von großer Bedeutung. Jesus gilt als maßgeblicher Lehrer durch sein vorbildliches Tun und durch seine Worte. Der Verfasser des Matthäusevangeliums hat ein großes Interesse daran, aus dem Leben Jesu zu erzählen, sein Handeln und seine Worte möglichst authentisch wiederzugeben.

In Kapitel 18 entfaltet Matthäus eine Ordnung für die Gemeinde, die als Schar der Kinder Gottes verstanden wird. Die Geringschätzung des Kindes in seiner Zeit aufgreifend, stellt er die hilflosen, auf andere angewiesenen Menschen unter den besonderen Schutz Gottes. Wie die Kinder zur Zeit Jesu auf den Vater angewiesen waren, von ihm aber auch Schutz und Fürsorge erwarten durften, so sollen die „Kinder Gottes" sich Gott zuwenden, sich ihm anvertrauen. In ihrer von Neugier und Vertrauen geleiteten Offenheit sind die Kinder zugleich Vorbild für lernbereite Christen. Damit wird ein Vaterbild zugrunde gelegt, das von Verantwortung und Vertrauen bestimmt ist.

Eltern haften für ihre Kinder

Kind sein – das mag für viele positiv besetzt sein. Wer ein umsorgendes Elternhaus erlebt hat mit Familie und Freunden, wem Vertrauen entgegengebracht wurde, wessen Vertrauen nicht enttäuscht worden ist, der kann wohl auf eine glückliche Kindheit zurückschauen.

Andere werden sich an Bevormundung, Maßregelung und Bestrafungen erinnern – eine Zeit des Ausgeliefertseins und der Ohnmacht. „Mutter" und „Vater" sind demnach nicht in jedem Fall positiv besetzte Begriffe.

Endlich nicht mehr klein sein – das hat seinen Reiz. Jugendliche werden sehr wohl zu schätzen wissen, dass sie keine Kinder mehr sind. Sie werden sich an das befreiende Erleben erinnern können, als es ihnen erstmals möglich war, bisher dem Kind gesetzte Grenzen überschreiten zu dürfen.

Erwachsensein bedeutet Freiheit und Autonomie, Respekt, Macht, Mündigkeit, aber auch die Last der Verantwortung tragen für mich und für andere, nicht mehr so unbeschwert durch das Leben gehen.

Insgesamt dürfte es für Jugendliche nicht unbedingt eine verlockende Perspektive sein, der Aufforderung Jesu in Matthäus 18, 3 folgen und wieder wie ein Kind werden zu sollen.

Sollte Christsein demnach bedeuten, rückwärtsgewandt zu sein und blind zu glauben, dann wäre der Satz allerdings gründlich missverstanden.

Vielmehr gilt es zu betonen, dass das Kindsein – und damit das Christsein – auch bedeutet: Unbefangenheit, Neugier, vorurteilsfreie Offenheit, die Fähigkeit, sich auf Neues und Ungewohntes einzulassen, freudig auf Neues zuzugehen.

Klein sein ist im Kommen

Andacht

Wenn ihr nicht umkehrt und werdet wie die Kinder, so werdet ihr nicht ins Himmelreich kommen.

Keine verlockende Perspektive, oder? Wer will schon noch mal Kind sein, wenn man es erst einmal geschafft hat, sich die Freiheit und die Rechte eines Jugendlichen zu erkämpfen? Was waren das für Diskussionen gewesen, ehe Lauras Eltern einwilligten, dass man nicht schon abends um sieben zu Hause sein muss. Oder die Filme im Kino: Alles Interessante war verboten. Na ja, manchmal hatte man tricksen können. Was hatten die Eltern genervt mit solchen Sprüchen wie: „Das darfst du noch nicht! Dafür bist du noch zu klein!“ oder „Werde erst mal erwachsen!“.

Zunehmend mehr selbst entscheiden zu können, sich von den Erwachsenen nicht mehr reglementieren zu lassen, diese Freiheit – dahinter will wohl kaum ein Jugendlicher zurück. Aber, ist es das, was das Leben lebenswerter und schöner macht?

Die Erfahrung der Erwachsenen spricht eine andere Sprache. Wie Seifenblasen waren ihre Träume zerplatzt in den letzten Jahren. Stattdessen war ihr Leben Mühe und Arbeit, wie man es oft in den Todesanzeigen von anderen Menschen in der Zeitung lesen konnte. Bis die Firma geschlossen hatte und gleich beide gleichzeitig arbeitslos wurden – mit Mitte 50 keine Chance mehr. Damit war also auch der letzte Traum, als Rentner eine Weltreise machen zu können, geplatzt. Erwartungen an das Leben? Fehlanzeige. Ist doch klar, dass da nichts mehr kommen wird: keine Überraschungen, keine Abenteuer, keine Entdeckungen, kein unbeschwertes Lachen.

Irgendwann hatte Laura es nicht mehr ausgehalten, hatte ihr eigenes Leben in die Hand nehmen wollen, sich eine WG gesucht und einen Job dazu – und, angesteckt von den anderen, wieder lachen gelernt. Wie unbeschwert das Leben doch sein konnte, wenn man es etwas unverkrampfter anging.

Eines Tages erinnerte sie sich an ihre Kindheit, als sie vielleicht sieben oder acht gewesen war. Wenige Tage vor ihrem Geburtstag hatte sie im Keller ein knallrotes neues Fahrrad entdeckt. Sie konnte es einfach nicht lassen. Mit aller Kraft schleppte sie es die Treppe hoch auf die Straße. So richtig gut gefühlt hatte sie sich zwar nicht, aber es war schon ein tolles Gefühl gewesen, mit so einem coolen Rad unterwegs zu sein, 21 Gänge. Bis ein Auto um die Ecke kam. Wo war denn die Bremse bei dem neuen Ding?

Schließlich fand Laura sich im Krankenhaus wieder. Zum Glück war sie mit ein paar Schürfwunden und Beulen davongekommen. Nur das neue Rad, das hatte tüchtig was abgekriegt.

Als ihre Eltern ins Krankenzimmer kamen, mit sorgenvollem Gesicht, da hätte sie sich am liebsten ganz weit weg gebeamt. Die Fahrradnummer war echt doof gewesen, und die beiden waren jetzt bestimmt stinksauer.

Einen Wutausbruch, mindestens aber eine Gardinenpredigt hatte sie erwartet. Die Mutter hatte sie zuerst und dann der Vater beide in den Arm genommen und ganz fest gedrückt. Da endlich konnte sie losweinen, ganz lange. Die ganze Anspannung, die Schmerzen, die Angst – alles fiel von ihr ab, floss mit den Tränen aus ihr heraus, bis sie sich ganz warm und geborgen fühlte in den Armen der Eltern, die all das zu tragen schienen, was sie so bedrückt hatte. Und dann hatte der Vater irgendeinen Witz erzählt, sodass sie schließlich alle drei auf dem Bett saßen und lachten.

Zum Geburtstag hatte sie dann trotzdem das Fahrrad bekommen. Der Vater hatte es wieder richtig gut hinbekommen. Sogar einen Tag Urlaub hatte er genommen, um mit ihr nach der Schule Rad fahren zu üben. Und dann hatten sie mit den Rädern die Mutter von der Arbeit abgeholt. Das war wohl ihr schönster Geburtstag gewesen.

Ja, so unbeschwert wie damals, als sie noch ein Kind gewesen war, wollte sie auch jetzt als Erwachsene leben können. Sich einfach mal fallen lassen, sich einem anderen vorbehaltlos anvertrauen können. Dann muss das Leben doch weitaus mehr bereithalten, als ihre Eltern es heute erwarten. Wenn sie mal wieder zu ihnen fährt, dann wird sie ihnen von diesem wunderbaren Geburtstag erzählen – und davon, was für tolle Eltern sie damals waren.

Wenn ihr nicht umkehrt und werdet wie die Kinder, so werdet ihr nicht ins Himmelreich kommen.

Liegt darin etwa der Schlüssel zu einem besseren Leben? Wenn Jesus seinen Freunden ans Herz legt, wieder wie ein Kind zu werden, dann gewiss nicht, weil er sie in Abhängigkeiten verstrickt sehen will. Vielmehr hat er die Unbeschwertheit von Kindern vor Augen, wie sie sich von ihrer Neugier treiben lassen und anderen – zugegeben: manchmal blind – vertrauen.

Jesus geht es zuerst um das vorbehaltlose Vertrauen in Gott, so, wie es wohl nur Kinder können: sich fallen lassen in Gottes Hand.

Demnach müssten wir als Erwachsene die Perspektive von Kindern einnehmen und wie sie unbefangen, neugierig, vorurteilsfrei und offen sein für das, was Gott in unserem Leben bewirken will.

Nicht zuerst von sich selbst, sondern von Gott etwas erwarten, sich ihm anvertrauen, das ist ein wesentlicher Schritt hin zu dem, was mich dem Himmelreich näher bringt – einem Leben in Harmonie mit Gott und seiner Schöpfung.

Darum, auch wenn das Erwachsenwerden viele neue Möglichkeiten bietet, lohnt es, sich etwas vom Kindsein zu bewahren.

Amen.

Text

Wer einen Menschen wieder zum Lachen bringt,
der schließt ihm das Himmelreich auf.
Wer einem Menschen Geduld schenkt,
der infiziert ihn mit Hoffnung.
Wer einen Menschen aufnimmt,
so wie er selber von Christus angenommen ist,
der löst ihm die Zunge zum Loben.

Lasst uns ausziehen aus unseren Gewohnheiten
und unseren Gewöhnlichkeiten,
um an der Bibel das Hoffen zu lernen.
Lasst uns ausziehen und über die Grenze gehen,
um das Leben mit Hoffnung zu infizieren.
Lasst uns keine Grenzen mehr achten,
sondern nur noch den, der die Grenze öffnet.

Jürgen Moltmann

Gebet

Zeig uns den Weg in deine Welt,
wo die Worte wahr sind
und die Hände offen für den anderen.

Zeig uns den Weg in deine Welt,
wo für alle Menschen Frieden ist
und Liebe die Gewalt besiegt.

Zeig uns den Weg in deine Welt,
wo Freude die Angst vertreibt
und die Kinder eine Zukunft haben.

Zeig uns den Weg in deine Welt,
wo für alle Platz ist
und die Unterdrückten aufatmen können.

Zeig uns den Weg in deine Welt,
wo das Leben noch eine Chance hat
und die Erde für alle bewohnbar wird.

Herr, du bist unser Weg,
du bist unsere Zukunft,
du bist unser Leben.
Erhöre unsere Bitten.
Amen.

Dietmar Rost

Anregungen für die Gruppe

Zum Beginn der Andacht:

Auf einem Flipchart o. Ä. stehen die Begriffe „Kind sein" und „Erwachsen sein". Die Teilnehmenden tragen zusammen und notieren: „Was charakterisiert diese Lebensabschnitte?" Die Ergebnisse werden anschließend im Gespräch positiv und negativ bewertet und entsprechend markiert. Daran kann sich ein Gespräch anschließen darüber, wie Kindheit und Erwachsensein erlebt werden.

Zum Abschluss der Andacht:

Welche der Charakteristika können im Sinne des Jesuswortes dazu beitragen, Gott näherzukommen?

Lieder

Wer macht uns Hoffnung	*HuT 76*
Da wohnt ein Sehnen	*HuT 112*
Nada te turbe	*HuT 130*
Meine Hoffnung und meine Freude	*HuT 134*
Meine engen Grenzen	*HuT 163*
Meine Zeit steht in deinen Händen	*HuT 320*

Martin Bahlmann

Oktober

Haben wir Gutes empfangen von Gott und sollten das Böse nicht auch annehmen?

Hiob 2, 10 (L)

GIBT ES DA EINE FRAGE?

Eine schwierige Frage

Vieles empfange ich in meinem Leben, keine Frage. Manches finde ich gut, anderes weniger gut. Oft hat es mit anderen Menschen zu tun. Aber ehrlich: Bin ich nicht selbst für das verantwortlich, was passiert? Oder hat das auch etwas mit Gott zu tun?

Gutes empfängt jeder gern. Darüber zerbricht sich niemand den Kopf. Aber was ist mit dem, was mir nicht passt? Wie gehe ich damit um, wenn mich etwas richtig stört und ärgert? Von mir aus nenne ich es auch „das Böse". Aber was ist das eigentlich? Was macht Böses „böse" und Gutes „gut"?

Sehr schnell sortieren wir wie im Märchen: „Die Guten ins Töpfchen, die Schlechten ins Kröpfchen", sagt Aschenputtel zu den Tauben. Es ist zum Sprichwort geworden, wenn Dinge unterschiedlicher Qualität voneinander unterschieden werden sollen. Das ist gut, und das ist schlecht oder eben böse!, heißt es dann. Das vermeintlich „Böse" zu ignorieren ist auch nicht die Lösung. Aber was hilft es mir, wenn ich die Unterscheidung getroffen habe?

Hiob plädiert offenbar dafür, beides anzunehmen. Aussuchen und Auswählen ist für ihn keine Option. Für ihn ist der Monatsspruch eine rhetorische Frage, die in jedem Fall mit JA zu beantworten ist.

Eine Frage – viele Fragen

Der Monatsspruch ist Hiobs Antwort auf eine Frage seiner Frau. Hiob wird mit Krankheit und anderen Katastrophen geschlagen. Seine Frau fordert ihn auf, dass er nun endlich Gott verfluchen und sterben solle. Hiob entgegnet ihr mit der Frage „Haben wir Gutes empfangen von Gott und sollten das Böse nicht auch annehmen?" Diese rhetorische Frage wirbt darum, auch das Böse und Schwere im Leben zu akzeptieren. Daraus folgen spannende Überlegungen: Welches Bild haben wir von Gott? Wie verträgt sich dieses Bild mit dem Schlechten, dem Bösen, dem „Lebensabträglichen" in der Welt und in meinem eigenen Leben?

Im Buch Hiob klingt damit eine Frage an, die bis heute Theologie und Philosophie beschäftigt. Sie wird seit dem Philosophen Gottfried Wilhelm Leibniz mit dem Begriff „Theodizee" bezeichnet, in etwa „Gerechtigkeit Gottes" oder „Rechtfertigung Gottes". Sehr einfach formuliert ist es die Frage: Wo kommt das Leiden her, wenn Gott gütig und allmächtig ist? Warum verhindert er nicht das Leiden? Ist er vielleicht nicht gütig, oder ist er nicht allmächtig? Es gibt unzählige Schriften zu diesem Thema, aber keine endgültige Antwort. Bekannt sind eher Versuche, mit der Frage umzugehen, ohne sie beantworten zu können: Martin Luther z. B. unterschied verschiedene Aspekte Gottes. Dem offenbarten Gott – „Deus revelatus", der im Evangelium von Jesus Christus seine Nähe zu den leidenden Menschen gezeigt hat, stellt er den verborgenen Gott – „Deus absconditus" – gegenüber, der für die Menschen letztendlich nicht verstehbar ist. Weil die Gläubigen diese Seite Gottes nicht verstehen können, müssen sie sich an das Evangelium halten und auf die Liebe Gottes hoffen.

Damit hat das Thema des Monatsspruches aus dem Hiobbuch direkt auch mit mir selbst zu tun.

Das Leben ist schön, aber nicht einfach

Kerstin Bund gehört zur sogenannten Generation Y. Das Y steht für das englische Wort „Why“ (Warum) und beschreibt die zwischen 1977 und 1998 Geborenen.

„Ja, die Unsicherheit ist groß, und Prognosen sind schwierig, besonders, wenn sie die Zukunft betreffen ... Doch wenn die Welt komplexer wird, dann helfen auch keine einfachen Antworten mehr. Dann taugen die alten Dogmen und Glaubenssätze nicht mehr, mit denen Generationen vor uns die Welt in Gut und Böse, in Richtig und Falsch aufgeteilt haben – in Proletariat und Bourgeoisie, in Sozialismus und Kapitalismus ...“ *(S. 48)*

Ein klares Entweder – Oder, Richtig – Falsch, Gut – Böse gibt es so nicht (mehr). Ich halte es für bedenkenswert, wenn diese Generation eine klare Trennung und Polarisierung ablehnt. Es entspricht der Realität des Lebens, die neu und anders verstanden wird. „Katholisch oder evangelisch, CDU oder SPD, Beatles oder Stones, Bulli oder Manta, Popper oder Punk – an solchen Fragen schieden sich die Geister unserer Vorgenerationen. Dazwischen war nicht viel Raum, ein Übertritt galt als Verrat.

Heute sind wir frei, zu sein, was wir wollen. Wir können glauben (gar nicht oder an Christus und an Buddha zugleich), wählen (Erststimme CDU, Zweitstimme Grüne), hören (Zaz oder Casper oder sogar Helene Fischer), fahren (Leihfahrrad oder MiniCooper) und uns kleiden (Gummistiefel zu Markenjeans), ganz wie wir Lust haben, und niemand verurteilt uns deswegen. Ich halte das für eine zivilisatorische Errungenschaft.“

(S. 48–49 in „Glück schlägt Geld“; Generation Y: Was wir wirklich wollen; Murmann, Hamburg 2014)

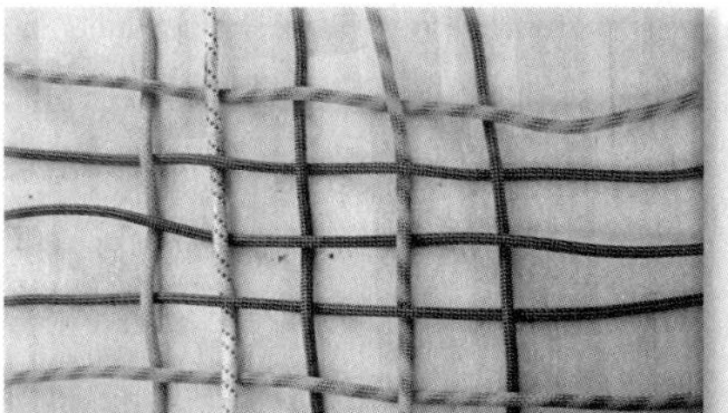

Was Kerstin Bund beschreibt, beeindruckt mich. Das klare Sortieren ist nicht einfach und nicht mehr angesagt. Junge Menschen heute müssen sich zwischen scheinbar unzähligen Möglichkeiten entscheiden. Alles scheint möglich und auch sinnvoll zu sein. Nichts ist mehr eindeutig gut oder böse, richtig oder falsch.

Die Jugendforschung betont, dass „eine relative Mehrheit der Jugendlichen ... Probleme ... mit aller Kraft an(geht) und dann alles andere liegen (lässt), bis sie gelöst sind.“ *(Vgl. Shell Deutschland Holding [Hrsg.] Jugend 2010 – eine pragmatische Generation behauptet sich; Frankfurt am Main 2010; S. 232)*

Selbstverständlich sind Probleme nicht automatisch gleichzusetzen mit dem „Bösen“ aus dem Hiobbuch. Dennoch kommt darin zum Ausdruck, dass sich Jugendliche mehrheitlich aktiv mit dem auseinandersetzen, was ihnen als „Problem“ begegnet. So stellt die Studie fest: „Sozialer Austausch mit Vertrauten, vor allem mit Freunden, aber auch mit Eltern, ist die am meisten gewählte Bewältigungsstrategie, wenn sich für Jugendliche ernsthaft Probleme auftun. Aggressives, sozial unverträgliches Verhalten gegenüber anderen Menschen wird abgelehnt, ebenso der Missbrauch von Nikotin oder Alkohol als ‚Problemlöser‘.“ *(Vgl. Shell Deutschland Holding [Hrsg.] Jugend 2010 – eine pragmatische Generation behauptet sich; Frankfurt am Main 2010; S. 227)* Ausdrücklich erwähnt wird auch der Humor als Bewältigungsstrategie. Die Jugendlichen gehen ihre Probleme kreativ an und meistern sie.

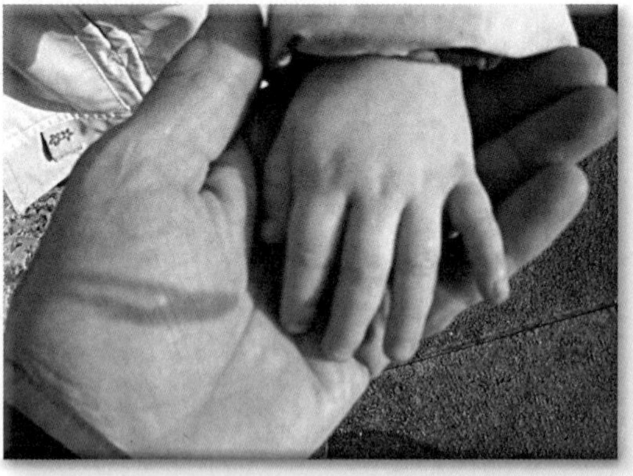

Über Zumutungen und was daraus werden kann

a) Impulse für eine Thematisierung in einer Jugendgruppe:

Gerhard Marcks, Hiob-Skulptur in Nürnberg (1957)

Statue „Hiob" von Gerhard Marcks (1957) vor der St.-Klara-Kirche, Nürnberg, September 2008, Sculpture: Gerhard Marcks, Photo: Andreas Praefcke

(vgl. http://de.wikipedia.org/wiki/Datei:Marcks_Hiob_N%C3%BCrnberg.jpg)

Diese Skulptur zeigt, dass Hiob hadert und mit sich ringt. Sich in der Jugendgruppe, in der Gemeinde oder mit Freunden über die Skulptur auszutauschen lohnt sich. Hiobs Rücken ist gerade. Nur der Kopf ist nach vorne gebeugt. Die Arme stützen den Oberkörper in aufrechter Position.

Im Gespräch können sich Fragen nach unserem Gottesbild und dem Umgang mit Leid anschließen: Ist Gott für mich ein Gegenüber oder allein der „liebe Gott“, der für all das Gute in meinem Leben verantwortlich ist? Bringe ich für mich auch Negatives, Böses bzw. Lebensabträgliches mit Gott in Verbindung? Was bedeutet das dann für mein Leben und mein Leben mit Gott?

b) **Andacht**

Ein Unfall bremst Daniel aus. Sportunfall. Muss das jetzt geschehen? Wir sind gerade so gut im Schwung und haben beste Chancen weiterzukommen! Plötzlich ist Daniel auf sich zurückgeworfen. Nur wenige seiner Sportskameraden fragen nach ihm, und er erkennt, wer zu ihm steht und ein wirklicher Freund ist. Daniel kommt ins Grübeln. Soll ich überhaupt noch weitermachen? Was soll nun werden? Natürlich hofft er, seinem Hobby bald wieder nachgehen zu können. Bisher war ihm nur Sport wichtig, alles andere lästige Pflicht. Sport allein ist nicht lebensfüllend, das beginnt Daniel zu erkennen. Die Auseinandersetzung kann ihm helfen, selbstbewusst und gestärkt aus der Krise hervorzugehen.

Sich mit dem Schicksal auseinanderzusetzen erfordert aber auch ein hohes Maß an Mut und Zuversicht. Damit wird das Unglück kein Glück und das Böse nicht gut. Oft genug ist beides nicht klar voneinander zu trennen.

Wie heißt es im Sprichwort? Wenn es dem Esel zu gut geht, geht er auf's Eis. Will sagen: Wenn alles wie am Schnürchen und von selbst geht, dann brauche ich mich nicht mehr zu bemühen und werde sogar leichtsinnig. Davor möchte ich bewahrt bleiben. Dankbar will ich sein, wenn mir Gutes widerfährt oder gelingt. Beides klingt im Psalmwort an: „Lobe den Herrn, meine Seele, und vergiss nicht, was er dir Gutes getan hat.“ Psalm 103, 2

Einen weiteren Gedanken will ich nicht verschweigen. Peter Fox hat ihn in seinem Lied „Das zweite Gesicht“ zum Ausdruck gebracht. Da steckt nämlich in jedem von uns etwas, was nicht Gutes im Sinn hat, eben „das zweite Gesicht“:

**„(D)enn es steckt mit dir unter einer haut
und du weißt, es will raus ans licht
die käfigtür geht langsam auf und da zeigt es sich
das zweite gesicht ..."**

„Das Zweite Gesicht"

Von Pierre Baigorry, David Conen, und Vincent Graf von Schlippenbach

Im Refrain wird „es" als „Biest" bezeichnet. Das Böse kommt uns Menschen nicht nur – in welcher Form auch immer – entgegen, sondern steckt auch in uns selbst. Wenn ich mir dessen bewusst bin, ist schon viel gewonnen. Kenne ich „mein Biest"? Warum reagiere ich manchmal so gemein auf andere? Warum tue ich genau das, was ich eigentlich gar nicht wollte? Oder ich tue genau das, was jetzt richtig und gut ist, eben nicht? Oder ich sehe nur das Schlechte und gar nicht mehr das, was alles schön, hilfreich und gut ist. Gott hilft mir, dies zu erkennen. Und ich kann wachsen im Vertrauen auf ihn und in meinem Umgang mit Menschen.

Was macht mein Leben aus und vor allem reich? Bin ich mir bewusst, wie viel Gutes mir widerfährt? Sogar im vermeintlich Schlechten und Bösen liegt eine Chance. Hiob, der besondere Mensch aus der Bibel, muss schrecklich leiden und hält doch an seinem Vertrauen zu Gott fest. Er will annehmen, was ihm entgegenkommt. Er setzt sich damit auseinander und wächst daran. Gibt es eine Alternative? Welche wäre das? Sein Leid wäre nicht zu Ende, wenn er Gott verfluchen oder einen guten Mann sein lassen würde. Aber mit seinem Festhalten an Gott behält Hiob einen Halt für sein Leben, der ihn letztlich durch alle finsteren Täler hindurchführt. Davon weiß auch der Beter des 23. Psalms, wenn er betet: „Und ob ich schon wanderte im finsteren Tal, fürchte ich kein Unglück, denn du bist bei mir ..."

Ich bin neugierig geworden, was das mit Hiob war. Die Bibel überrascht mich mal wieder sehr. Es werden Fragen gestellt, die auch ich für mich beantworten will: „Habe ich Gutes empfangen von Gott und sollte das Böse nicht auch annehmen?" Ich fange an, mir diese Frage zu stellen. Ziemlich sicher bin ich, dass ich damit wohl nie ganz fertig werde. Aber das Vertrauen auf Gott wünsche ich mir. Denn jeder Mensch sucht Halt für sein Leben, das kein „Wunschkonzert" ist, sondern auch Herausforderungen bietet, an denen wir wachsen können. Gott schenke uns den Mut, die Kraft und die Freude dazu. Denn mit Bonhoeffer möchte ich glauben, dass Gott auch aus dem Bösesten Gutes entstehen lassen kann und will. Amen.

c) Der Monatsspruch birgt viele Dimensionen in sich.

1. Welches Bild habe ich von Gott? Was verbinde ich mit Gott? Wer ist Gott für mich? Ist Gott nur der, dem ich all das Gute und Schöne in meinem Leben zu verdanken habe? Oder bringe ich auch das mit Gott in Verbindung, was mir nicht gefällt, was mir schadet und mich aus der Bahn wirft?

2. Woher weiß ich, was „gut" für mich ist oder was „böse"? Kann ich mir dabei immer so sicher sein? Nur im Märchen wird klar sortiert und entschieden.

d) Geschichten:

Sie trägt eine Perle in sich. Eine Auster klagt der anderen: „Ich habe Schmerzen; es ist, als trüge ich eine Kugel aus Blei in meinem Leib. Was soll daraus werden ...?" Die andere Auster erwidert stolz: „Ich fühle mich kerngesund, bin munter und fidel. Du wirst an deiner Kugel noch sterben; ich habe das Leben noch vor mir." Ein Krebs, der dem Gespräch der beiden gelauscht hat, meint: „Was verstehst du stolze Auster schon vom Leben? Du meinst, Jugend, Schönheit und Gesundheit seien alles. Sie hat zwar Schmerzen, aber sie trägt eine Perle in sich."

Ein alter Indianer saß mit seinem Enkelsohn am Lagerfeuer. Es war schon dunkel geworden, und das Feuer knackte, während die Flammen in den Himmel züngelten.

Der Alte sagte nach einer Weile des Schweigens: „Weißt du, wie ich mich manchmal fühle? Es ist, als ob da zwei Wölfe in meinem Herzen miteinander kämpfen würden. Einer der beiden ist rachsüchtig, aggressiv und grausam. Der andere hingegen ist liebevoll, sanft und mitfühlend."

„Welcher der beiden wird den Kampf um dein Herz gewinnen?", fragte der Junge.

„Der Wolf, den ich füttere", antwortete der Alte.

Quelle unbekannt, aus dem Englischen übersetzt

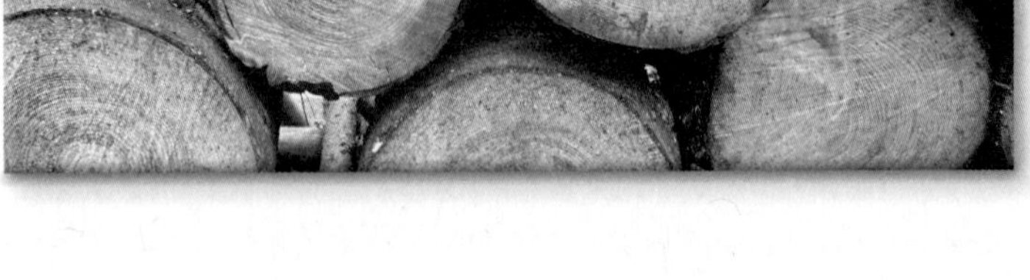

e) Glaubensbekenntnis von Dietrich Bonhoeffer:

*Ich glaube,
dass Gott aus allem, auch aus dem Bösesten,
Gutes entstehen lassen kann und will.
Dafür braucht er Menschen,
die sich alle Dinge zum Besten dienen lassen.
Ich glaube,
dass Gott uns in jeder Notlage
so viel Widerstandskraft geben will,
wie wir brauchen.
Aber er gibt sie nicht im Voraus,
damit wir uns nicht auf uns selbst,
sondern allein auf ihn verlassen.
In solchem Glauben müsste alle Angst
vor der Zukunft überwunden sein.
Ich glaube, dass auch unsere Fehler und Irrtümer
nicht vergeblich sind und dass es Gott nicht schwerer
ist, mit ihnen fertig zu werden als mit unseren
vermeintlichen Guttaten.
Ich glaube,
dass Gott kein zeitloses Fatum ist,
sondern dass er auf aufrichtige Gebete
und verantwortliche Taten wartet und antwortet.*

Dietrich Bonhoeffer, Widerstand und Ergebung

f) Das zweite Gesicht von Peter Fox: CD „Stadtaffe"

ein biest lebt in deinem haus
du schließt es ein, es bricht aus
das gleiche spiel jeden Tag
vom laufstall bis ins grab
ein biest lebt in deinem haus
du schließt es ein, es bricht aus
es kommt durch jede tür
es wohnt bei dir und bei mir

*„Das Zweite Gesicht"
Von Pierre Baigorry, David Conen, und Vincent Graf von Schlippenbach*

g) Filmhinweis

The Ground Beneath ist ein australischer Kurzspielfilm (21 Minuten) von 2008 mit deutschen Untertiteln. Er ist in einigen Landeskirchen auch online mit Anmeldung zu downloaden über die Medienzentralen. *(www.medienzentralen.de)*

Die Arbeitsgemeinschaft der Evangelischen Medienzentralen (AG EMZ) schreibt zu diesem Film von Rene Hernandez:
„Kaden, ein etwa 15-jähriger Junge, lebt mit seinem Vater in einer tristen Vorstadtsiedlung. Gewalt, Gehorsam, Langeweile und Kontaktarmut kennzeichnen seinen Alltag. Ein Konflikt in der Schule eskaliert zu einer handfesten Auseinandersetzung: Als Kaden von Glen, einem Klassenkameraden, provoziert wird, wirft ihn Kaden mit einem Faustschlag zu Boden und droht seiner Familie Gewalt an. Der Vater bestraft ihn hart für diesen Vorfall. Außerdem sinnt Glen zusammen mit seinem älteren Bruder und dessen Freund auf Rache. Nachdem Kaden erfolgreich vor der Gruppe fliehen kann, bewaffnet er sich mit einer Machete. Zwischenzeitlich knüpft er erste Kontakte mit seiner Klassenkameradin Casey und mit Lewis, einem behinderten Jungen aus der Nachbarschaft. Auf einer Straße in der Siedlung kommt es zum ‚Showdown': Glen und seine Leute stellen sich Kaden und Lewis in den Weg. Während der wehrlose Lewis geschlagen wird, treffen Kaden zwei Faustschläge von Glen. Kaden wehrt sich nicht. Nach diesem Überfall kümmert sich Kaden um Lewis und ergreift vor seinem Vater Partei für ihn."

(www.evangelische-medienzentralen.de)

Empfohlen wird der Film für Jugendliche ab 14 Jahre. Es geht um folgende Stichworte: Außenseiter, Erziehung, Familie, Gewalt bzw. Gewaltlosigkeit, Kommunikation, Konflikte, Sinnfrage.

Im Anschluss an diesen Film bietet sich eine intensive Nachbesprechung unter der Frage Hiobs an. Das „Böse" anzunehmen könnte dann heißen, sich mit dem Bösen, dem Lebensabträglichen auseinanderzusetzen und seinen eigenen Weg zu finden. Wie gelingt mir das?

Lieder:

Du verwandelst meine Trauer in Freude	*HuT 113*
Geh unter der Gnade	*HuT 226*
Herr, wir bitten: Komm und segne uns	*HuT 232*
Bewahre uns, Gott	*EG 171*

November

Erbarmt euch derer,
die zweifeln.
Judas 22 (L = E)

ICH ZWEIFELE, ALSO BIN ICH!

Glauben und Zweifeln

Es gibt Begriffspaare, die gehören unweigerlich zusammen. „Trauer und Glück", „Sonne und Regen", „Leben und Tod", „Weinen und Lachen", „Suchen und Finden", „Gewinnen und Verlieren". Das eine kann ohne das andere nicht sein. Dazu gehört auch das Paar „Glauben und Zweifeln". Wer glaubt, kennt auch die Zweifel, die sich immer wieder einstellen, wenn es um die Frage geht, worauf ich mein Leben gründe. Diese Erfahrung machen wir immer wieder in der Arbeit mit Jugendlichen, wenn wir mit ihnen nach dem Glauben fragen. Sprechen wir sie darauf an, woran sie glauben, werden meist auch ihre Zweifel ein Thema. Dass Jugendliche mit dem Glauben nichts mehr am Hut haben, ist ein Irrtum. Es gibt viele Studien über die Religiosität junger Menschen, die sagen, dass Jugendliche durchaus ein Gespür für die Mehrdimensionalität im Leben haben. Doch woran glauben sie, und wie sehen ihre Zweifel aus?

Laut der „Zweiten Bundesweiten Studie zur Konfirmandenarbeit" glauben 70 Prozent der Jugendlichen an Gott. Sprechen wir sie daraufhin konkret an, bekommen wir Erstaunliches zu hören:

Sie glauben, dass es ein höheres Wesen gibt, das ihr Leben beeinflusst, dem sie sich anvertrauen können oder das ihnen Mut, Hilfe und Kraft in schwierigen Lebenssituationen gibt. Aber sie finden Gott kaum noch in den Bildern der Bibel oder Lehrsätzen der Kirche.

Für Jugendliche ist Jesus ein faszinierender Mensch, ein Vorbild, das beeindruckt durch seine Souveränität, der mutige Worte findet gegen die Moral und das Establishment seiner Zeit. Ein Mann, der Menschen aufrichtet oder der konsequent und bereit ist, für das, was er glaubt, sogar in den Tod zu gehen. Aber sie bezweifeln die Jungfrauengeburt oder die Wundergeschichten.

Viele Jugendliche sind fasziniert von dem Raum „Kirche", seiner Atmosphäre und Ausstrahlung. Kirchenräume haben für junge Menschen eine magische Anziehungskraft, aber sie können nichts mehr anfangen mit den traditionellen Gottesdiensten, mit alten Kirchenliedern und liturgischen Formeln.

Jugendliche engagieren sich mit viel Herzblut in der Evangelischen Jugend und verbringen einen großen Teil ihrer knappen Freizeit mit der Leitung von Freizeiten, Kindergottesdiensten oder in der Gremienarbeit. Aber wenn sie über ihr Engagement sprechen, sind sie mit dem Imageproblem von Kirche konfrontiert. Sie müssen sich plötzlich dafür rechtfertigen. „Was, du engagierst dich in der Kirche? Betet ihr da die ganze Zeit? Und du machst das alles ohne Bezahlung?"

Und die Kirche selbst? Jugendliche hören einerseits häufig von der Kirchenleitung anerkennende Worte wie „Ihr seid die Zukunft der Kirche" oder andere Bekenntnisse zur Bedeutung kirchlicher Jugendarbeit. Aber was ist die Realität der Kirche? Denn andererseits machen Jugendliche die Erfahrung, in den Lebensvollzügen der Kirchengemeinden kaum vorzukommen, geschweige denn in Entscheidungsprozesse einbezogen zu sein.

Es ist zum Verzweifeln. Junge Menschen leben auf der Suche nach ihrem Glauben in einem Spannungsfeld. Sie haben sehr wohl eine Antenne für das Göttliche im Leben, aber sie finden es nicht in der verfassten Kirche. Einerseits möchten sie glauben und suchen eine Orientierung für ihr Leben, andererseits zweifeln sie, ob die Kirche ihnen auf die Fragen ihres Lebens antworten kann.

Und wenn bei den jugendgerechten Gottesdiensten, auf Freizeiten, während der Konfirmandenzeit usw. doch das Pflänzchen „Glauben" wächst, dann wird es oft von ganz anderen Dingen bedroht, die Jugendliche (ver-) zweifeln lassen: Wie kann es sein, dass trotz meines Glaubens an den einen

Gott, der uns Menschen liebt und beschützt, der Familienvater an Krebs stirbt, täglich Tausende Kinder verhungern, Unschuldige in Kriegen getötet werden und überhaupt so viel Leid in der Welt existiert? Und wenn Gott mich als getaufter und gesegneter Mensch wirklich so sehr liebt, warum werde ich dann in meiner Klasse gemobbt, finde keine Freunde oder versage in der Schule, obwohl ich mich doch so anstrenge?

Wenn wir mit Jugendlichen über den Glauben sprechen und ihnen helfen, zu ihrem eigenen Glauben zu finden, dann müssen wir uns ihrem Zweifel stellen und auch unsere eigenen Zweifel nicht verheimlichen. Kein Mensch steht so fest im Glauben, dass er immun ist gegen die Anfechtungen des Lebens, die uns immer wieder erschüttern und unseren Glauben ins Wanken bringen (und manchmal auch zerstören). Das war auch die Erfahrung der ersten Christen. Die Menschen damals, die zum Glauben gekommen sind, waren auch dem Zweifel ausgesetzt. Das war aber kein Makel. Sie wurden ernst genommen. „Erbarmt euch derer, die zweifeln" ist die Ermutigung, Menschen in ihren (Glaubens-)Nöten zur Seite zu stehen, ihre Fragen ernst zu nehmen und gemeinsam mit ihnen auszuhalten, was mit dem Verstand nicht zu erfassen ist. Der Zweifel ist ein Kennzeichen des denkenden Menschen. „Was bin ich? Ein denkendes Wesen. Ein Wesen, das zweifelt, einsieht, bejaht, verneint, will, nicht will, auch einbildet und empfindet", so der Philosoph René Descartes vor fast 400 Jahren.

Deshalb möchte ich das Begriffspaar „Glaube und Zweifel" nicht als Gegensatz betrachten. Der Glaube braucht den Zweifel, um nicht absolut zu werden. Und der Zweifel braucht den Glauben, um sich nicht angesichts kleiner und großer Katastrophen des Lebens zu verlieren.

Gott liebt die Zweifler

Wenn der Verfasser des Judasbriefes seine Glaubensbrüder und -schwestern auffordert, sich derer zu erbarmen, die zweifeln, weiß er, wovon er spricht. Er kommt selbst aus der jüdischen Tradition. Er zitiert jüdische Schriften und weiß, dass die großen Persönlichkeiten der eigenen Glaubenstradition keine „Helden" in Sachen Glaubensstärke waren, sondern Menschen, die immer wieder mit ihrem Gott gehadert und mit ihm um ihre Fragen, Nöte und Zweifel hart gerungen haben.

Da war der Prophet Jeremia. Er hat Fragen gestellt, die unzählige Menschen nach ihm auch noch stellen werden: „Herr, du bist gerecht, aber ich muss dich fragen, wie ich deine Gerechtigkeit erkennen soll? Warum haben die Menschen, die dein Gesetz missachten, immer Erfolg? Warum dürfen die Abtrünnigen in Ruhe und Sicherheit leben? Und warum nimmt mein Leid kein Ende?" (12, 1; 15, 18)

Berühmter ist Hiob. Er verliert über Nacht alles, was sein Leben ausgemacht hat. Seine Kinder, sein gesamtes Vermögen, seine Gesundheit. Er schreit seine Verzweiflung hinaus und bringt sie vor Gott. „Warum gerade ich?" Er macht Gott für sein himmelschreiendes Unglück verantwortlich. Aber er bekommt keine Antwort. Für sein Leiden gibt es keine sinnvolle Erklärung.

Das Alte Testament hat keine Probleme mit dem Zweifel. Die Zweifler werden ernst genommen und nicht verurteilt. Die Texte der Bibel sind damit vielmehr eine kritische Anfrage an alle, die meinen, mit ihrem Glauben über jeden Zweifel erhaben zu sein.

Im Neuen Testament ist es nicht anders. Jesu Gebet in Gethsemane: „Mein Vater, erspare mir, aus diesem Kelch trinken zu müssen" (Matthäus 26, 39) oder die erschütternden Worte am Kreuz: „Mein Gott, mein Gott, warum hast du mich verlassen?" (27, 45) drücken seine Angst und Zweifel im Angesicht des Todes aus. Petrus, der engste Vertraute Jesu, hat sogar geschworen, Jesus nicht zu kennen, als er nach der Verhaftung Jesu um ein Haar enttarnt worden wäre (26, 74). Und die Haltung des Thomas zur Auferstehung Jesu (Johannes 20, 24–29) zeigt, dass nicht nur die Jünger Zweifel an ihr hatten.

So auch im Judasbrief: Siebzig Jahre sind seit dem Kreuzestod Jesu vergangen. Die ersten Gemeinden haben sich gegründet, und die Zweifel sind geblieben. Die Wiederkunft Christi noch zu Lebzeiten der ersten Christen, die Paulus zu Beginn so eifrig verkündigt hat, bleibt aus. In den jungen christlichen Gemeinschaften beginnen die ersten Machtkämpfe. Manche führen ein zügelloses, andere kritisieren die Lehre der Apostel. Warum bleibt die versprochene Wiederkunft aus? Ist Christus womöglich doch nicht auferstanden? Wer hat nun recht? Droht den Botschaftern der neuen Lehre wirklich das Gericht? Zweifel über Zweifel. Der Schreiber des Briefes war sich wohl der kritischen Lage und der Gefahr bewusst, die fragile Gemeinschaft könnte auseinanderbrechen. Trotz deutlicher Worte schließt er die Zweifler nicht endgültig aus. „Erbarmt euch derer, die zweifeln", so rät er.

Der Befund der Bibel ist eindeutig: Selbst die ersten Christen sind kein leuchtendes Vorbild eines bedingungslosen und unerschütterlichen Glaubens. Unter ihnen gab es kritisch eingestellte Menschen wie gerade diesen „ungläubigen Thomas“, von dem Johannes berichtet. Es gab solche, die im Stillen zweifelten, und solche, die offen Opposition machten. Aber nirgends werden sie aufgrund ihrer kritischen Haltung oder gar ihres Zweifels ausgeschlossen. Gerade die Zweifler wie Thomas oder die Versager im entscheidenden Augenblick wie Petrus erweisen sich letztendlich als die verlässlichen und treuen Anhänger Jesu. Könnte es also sein, dass die Bibel sich genau solche Menschen wünscht?

Der Zweifel – Schwäche oder Stärke?

Wann zweifeln wir? Wenn das Vertraute und Gewohnte plötzlich seine Stimmigkeit verliert. Wenn eingeübte Lösungsmöglichkeiten nicht mehr greifen, wenn bekannte Handlungs- und Denkmuster nicht mehr zum Ziel führen oder nicht mehr mit der veränderten Realität übereinstimmen. Ich beginne zu zweifeln, wenn mein Denken infrage gestellt wird und meine Argumente an Plausibilität verlieren. Dann bin ich verunsichert und weiß: Ich muss mich neu orientieren und komme damit an eine Grenze. Zur Mutlosigkeit und Depression ist es dann oft nur ein kleiner Schritt. Damit schwächt mich der Zweifel.

An dieser Grenze kann der Zweifel aber auch seine Stärke zeigen: Er will sich nicht mit äußeren Gegebenheiten abfinden. Er rebelliert gegen das, was mein Inneres für untragbar und ungerecht hält. Viele Menschen z. B. sind im Dritten Reich Widerstandskämpfer und -kämpferinnen geworden, weil sie die Ideologie der Nationalsozialisten bezweifelten. Der Zweifel bewahrt davor, leichtgläubig und verführbar zu werden. Er sagt mir: Lass dich nicht drängen, schau genau hin, beurteile kritisch, überlege dir in aller Ruhe, was richtig ist und getan werden muss. Lass dich nicht zu schnell einnehmen, gib dem Neuen eine Chance, denk mal das Undenkbare, höre erst mal genau hin und entdecke die ungeahnten Zwischentöne. Der Zweifel ist eine Form der Wachsamkeit, der die Fähigkeit innewohnt, Aktionismus zu widerstehen und tragfähige Lösungen zu entwickeln.

Das gilt auch im Blick auf die Bibel. Es gibt aus der heutigen Sicht viele Bibelworte oder Vorstellungen, die sich nicht (mehr) nachvollziehen lassen und die zu Recht anzuzweifeln sind. Biblische Geschichten sind auch Zeitdokumente. Sie erzählen, wie Menschen damals gelebt und was sie geglaubt haben. Sie spiegeln ihre Lebensfragen und -erfahrungen wider, erzählen von ihren Ängsten, von Scheitern, Trauer und Glück und davon, was sie bei alldem mit Gott erlebt haben. Und dies in einer Zeit, die wir mit unserer Moderne nicht mehr vergleichen können. Daher befremden uns Heutige viele Aussagen, die für damalige Menschen richtig und wichtig waren, aber uns heute nicht mehr helfen. Viele Aussagen wurden in Ausnahmesituationen getroffen, wie z. B. Kriegen, Verlust der Heimat oder Bedrohung des eigenen Lebens. Manchmal kamen sie dabei zu extremen Überzeugungen, z. B. wie man Andersglaubenden begegnen soll oder wer an Jesu Tod Schuld sei. Auch wie man sein persönliches Leben führen soll, wie Mann und Frau zueinander stehen, wie Frauen und Mädchen sich zu verhalten haben, der Umgang mit gleichgeschlechtlicher Liebe und vieles mehr – all das ist geprägt von den Wert- und Moralvorstellungen einer antiken Gesellschaft, die mit unserer heutigen, aufgeklärten Welt in nichts mehr zu vergleichen ist. Wer würde etwa seine Tochter in die Sklaverei verkaufen, um die Schulden für das Eigenheim abzutragen, oder seinen Nachbarn steinigen lassen, weil er am Sabbat beim Public Viewing und Grillen erwischt wird?

Beim Lesen der Bibel ist zu bedenken, dass sie von Menschen für Menschen geschrieben ist, die ihren zeit- und umweltbedingten Denk-, Sprach- und Erzählformen verhaftet waren. Dies muss man kritisch bedenken. Und darum können nicht alle biblische Aussagen auf konkrete Lebensvollzüge in unserem Alltag und Zusammenleben übertragen werden.

Andererseits können Zweifel uns blockieren, wenn wir einen Zugang zu biblischen Texten und Bildern suchen.

Dazu ein Beispiel: Eine der schönsten Geschichten der Bibel ist für mich die Erzählung von Jesus und dem sinkenden Petrus auf dem See (Matthäus 14, 22–33). Als die Jünger mit dem Boot über den See setzten, kam ihnen Jesus auf dem Wasser entgegen. Während sie sich vor einem angeblichen Gespenst fürchteten, sagte Jesus zu ihnen: Habt keine Angst, ich bin es. Petrus wollte es genau wissen und folgte der Aufforderung Jesu, ihm auf dem Wasser entgegenzukommen. Nach ein paar erfolgreichen Schritten begann Petrus zu zweifeln, und sofort versank er im See. Jesus packte ihn und fragte: Warum hast du gezweifelt?

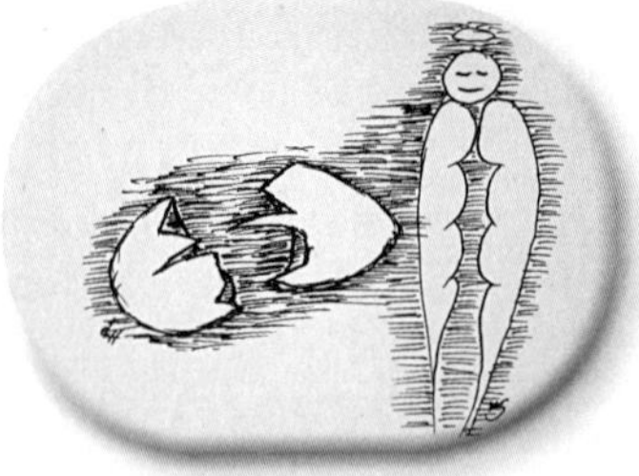

Diese Geschichte wird gerne als eine der Wundergeschichten gesehen, die belächelt oder höchstens noch als relevant für den Kindergottesdienst erachtet werden. Doch hinter der Geschichte steckt für mich etwas anderes: Wenn es uns gelingt, ganz fest an uns und unsere eigenen Fähigkeiten zu glauben, gelingen uns Dinge, die wir nicht für möglich gehalten haben. Anders gesagt: Wenn mich auf einem eingeschlagenen Weg die Angst überfällt, raubt sie mir die Energie, über mich hinauszuwachsen und meinen Zielen treu zu bleiben.

Die Geschichte vom sinkenden Petrus ist für mich eine der stärksten Mutmachgeschichten der Bibel, gerade für junge Menschen. Wenn wir am Realitätsgehalt dieser Geschichte zweifeln, überhören wir leicht ihre zweite Stimme hinter der Geschichte: Es geht ja eigentlich um einen Menschen, der an seinen Fähigkeiten zweifelt und fürchtet, im Meer der Lebensängste zu versinken. Jesus traut ihm mehr zu als er sich selbst.

Es wäre spannend, beiden Aspekten des Zweifels, die hier angedeutet werden, zu folgen.

Es ist manchmal wirklich zum Verzweifeln!

Andacht

„Wie viel Anstrengung hat mich das Studium gekostet, und was habe ich nicht alles dafür aufgegeben! Die Ferienjobs nebenher, um die Studiengebühren aufzubringen, die langen Nächte hinter dem Schreibtisch, der Druck vor den Prüfungen. Selbst mein Engagement im Freizeitenteam unserer Jugendzentrale musste ich aufgeben, weil wir erst kurz vor Semesterende die Klausurtermine bekamen. Und jetzt? Trotz meines passablen Abschlusses schreibe ich eine Bewerbung nach der anderen. Fachkräftemangel? Von wegen. Statt hoffnungsvoll ins Berufsleben zu starten, drücken mich jetzt die Schulden, die ich machen musste, um mein Studium zu finanzieren."

Oder: „Wie wollten wir doch die Welt bewegen. ‚Ihr seid die Zukunft unserer Kirche', so hören wir immer wieder von den Kirchenoberen. Doch wenn es darum geht, über unsere Zukunft in unserer Kirche mitzubestimmen, hat man uns Grenzen gezeigt." „Auf die Jugend ist kein Verlass, nach ein paar Jahren sind sie doch wieder weg, und wer weiß, ob man sie noch einmal sieht. Bauen wir doch vielmehr auf die, die noch da sind." So reden die Erwachsenen, wenn sie mit den Bekenntnissen zur Jugend Ernst machen sollten.

Und dann war diese Karte. Am Ende vom Jugendgottesdienst hat man sie an die Jugendlichen verteilt:

‚Keiner will dich, keiner mag dich, keiner braucht dich, keiner liebt dich – mehr als ich, sagt Gott' stand darauf. Ein schöner Spruch. „Aber wo spüre ich denn Gott an meiner Seite? Ich will doch gar nicht so viel. Ich möchte nur das Gefühl haben, geliebt und gebraucht zu werden, einen Sinn in meinem Leben sehen, erfolgreich sein und zuversichtlich in meine Zukunft blicken können. Ist das denn schon zu viel?"

Zwei von vielen Fragen junger Menschen auf der Suche nach einem Fundament in ihrem Leben, das sie trägt und ihnen Richtung gibt. Oder nach eigenem Glauben, der ihnen Selbstbewusstsein und Selbstwertgefühl als Christinnen und Christen gibt.

Negative Erfahrungen im Leben lösen oft Zweifel an dem aus, was Kirche jungen Menschen heute mit auf den Weg geben möchte. Dabei sind diese jungen Zweifler in bester Gesellschaft. Schon der Prophet Jeremia fühlt sich ungerecht behandelt, dass all seine Bemühungen ins Leere laufen und es den „Gottlosen" besser geht als ihm. Und auch Mose ist es irgendwann leid. Was hat er nicht alles aufgegeben, um sein Volk in die Freiheit zu führen? Mit wie viel Hoffnung sind sie aufgebrochen, motiviert von dem Versprechen, ein Land zu finden, in dem sie in Freiheit leben können? Doch der endlose Weg, die vielen Rückschläge, die Strapazen und Entbehrungen lassen sie an dem großen Ziel zweifeln. Lohnt es sich überhaupt? Ist es all die Anstrengungen wert? Sollen wir es nicht besser bleiben lassen?

Das ist das Ermutigende: Gott sucht sich nicht die Selbstbewussten und Starken, die unbeirrbar und unerschütterlich im Glauben stehen, sondern die Zweifler. Er sucht sich Menschen, die – wie wir alle – scheitern können und zuweilen den Mut verlieren. Menschen, denen auch mal Zweifel kommen, ob ihr Weg richtig ist, und die immer wieder innehalten und kritisch nachfragen. Und Gott nimmt ihre Zweifel ernst. In Augenblicken des Scheiterns lässt er Mose nicht fallen. Im Gegenteil: Er segnet ihn, denn er weiß: In der Resignation helfen keine Argumente oder Ratschläge, sondern Gesten des Verständnisses. Indem Gott Mose segnet, zeigt er ihm: Ich verstehe deine Zweifel. Der Segen gilt dem Menschen mit seinen starken und schwachen Seiten.

Diesen Segen kennen wir bis heute. Der Segen bei der Taufe sagt mir: Dein Leben ist in Gottes Augen gut, egal, wie es verlaufen wird. Der Segen bei der Konfirmation will mich auf der Suche nach meinem eigenen Weg stärken. Unvermeidbar werde ich Schwäche, Scheitern und Misserfolg erleben, doch sie sind kein Widerspruch zu Gottes Zuwendung.

Der Segen in Zeiten der Krise oder des Zweifels lässt aus Schwäche wieder Stärke entstehen. Es gibt zwischen Himmel und Erde Dinge, die einen verzweifeln lassen, die keinen Sinn haben und unerklärlich sind. Diesen Erfahrungen gilt es – auch gegen jeden Augenschein –, ein trotziges Dennoch entgegenzusetzen, um nicht an der Ungerechtigkeit der Welt zu zerbrechen oder in Depression zu versinken.

Und Gott braucht die Zweifler: Er braucht die Menschen, die sich nicht so leicht abfinden mit dem, was schiefläuft, die kritisch hinterfragen, die auf der Suche bleiben, auch wenn so viele Antworten im Raum stehen.

Gott erbarmt sich der Zweifler, denn sie bringen letztlich seine Botschaft in der Welt voran. Deshalb halte es mit deinem Zweifel so, wie schon viele vor dir: Wehre dich gegen die Ungerechtigkeit, die dir widerfährt so wie dem Jeremia. Schrei deine Verzweiflung heraus und klag auch mal Gott an so wie Hiob. Lass deine Ängste zu wie Jesus und frage wie Thomas kritisch nach, wenn dir was unglaublich vorkommt. Und bei all dem Zweifel vergiss nicht: Du bist damit nicht allein auf der Welt. Viele machen ähnliche Erfahrungen und haben kritische Anfragen. Verbünde dich mit ihnen gegen das, was Leben verhindert, stärkt euch gegenseitig, wenn ihr an eure Grenzen stoßt. Dann werdet ihr sehen: Euer Zweifel ist eure Stärke!

Amen.

Dem Zweifel auf die Spur kommen

Zwei erprobte Praxisbeispiele:

1. Mein persönlicher Glaubensweg/meine religiöse Biografie

Die Gruppe erhält eine Vielzahl von Parketthölzern und Playmobil-Figuren, mit denen jeder/jede den eigenen Glaubensweg auf den Boden legt. Welche Wege bin ich gegangen, welche Abzweigungen und Irrwege taten sich auf, welchen Menschen bin ich unterwegs begegnet, wo stehe ich jetzt? Anhand dieser Leitfragen haben die Teilnehmer und Teilnehmerinnen die Aufgabe, ihren Weg darzustellen und später der Gruppe zu präsentieren.

2. Mein Gottesbild

Die Bibel beschreibt Gott mit vielen Bildern – geprägt von ihrer Zeit und den Erfahrungen, die die Menschen damals gemacht haben. Gott als Vater, guter Hirte, Schöpfer, Richter, Heerführer – oder Gott als Fels, Burg, Licht, Heil usw. – all das sind Beispiele, wie vielfältig Menschen ihre eigene Beziehung zu Gott ausdrücken. Jugendliche werden motiviert, sich über ihr eigenes Gottesbild Gedanken zu machen. Zur Anregung werden Bilder zur Auswahl ausgelegt, die in den unterschiedlichsten Motiven und mit viel Fantasie mit Gott in Verbindung gebracht werden können. Jeder/jede sucht sich ein Bild aus, das ihn/sie anspricht, und bekommt Zeit, sich darüber Gedanken zu machen. Zwei praktische Umsetzungen bieten sich an:

a) Kreativ: das eigene Gottesbild zeichnen, mit Naturmaterialien legen usw. oder

b) Literarisch: „meinen" Psalm schreiben, d. h. Textform in Anlehnung an die Form der biblischen Psalmen.

André Gide: „Glaube denen, die die Wahrheit suchen und zweifle an denen, die sie gefunden haben." (1869–1951)

Keiner will dich,
Keiner mag dich,
keiner braucht dich,
keiner liebt dich –
mehr als ich, sagt Gott

Postkarte aus der Church-Night der Jugendzentrale Neustadt, Quelle unbekannt

Gebet

Vater, wo bist du? Im Himmel? Wo ist das? Wie soll ich dich finden? Du verbirgst dich vor mir und ich tappe im Dunkeln. Gleich einem Blinden sehe ich nicht, was um mich herum geschieht, was mich umgibt. Manchmal ahne ich es, wenn ich mich ganz auf dich, meinen Gott, konzentriere. Dann fühle ich, dass du da bist, dass es dich gibt.

Doch schon im nächsten Moment ist diese Erfahrung wieder verflogen. Ich vermag nicht, dich festzuhalten.

Herr, offenbare mir dich und schenke mir die Fähigkeit, deine Gegenwart wahrzunehmen, festzuhalten und weiterwirken zu lassen auf andere, damit ich zu einem Senfkorn des Glaubens in dieser Welt werde.

Adolf Exeler, Quelle unbekannt

Gedicht

dem herrn unserem gott
hat es ganz und gar nicht gefallen
dass gustav e. lips
durch einen verkehrsunfall starb

erstens war er zu jung
zweitens seiner frau ein zärtlicher mann
drittens zwei kindern ein lustiger vater
viertens den freunden ein guter freund
fünftens erfüllt von vielen ideen

was soll jetzt ohne ihn werden?
was ist seine frau ohne ihn?
wer spielt mit den kindern?
wer ersetzt einen freund?
wer hat die neuen ideen?

dem herrn unserem gott
hat es ganz und gar nicht gefallen
dass einige von euch dachten
es habe ihm solches gefallen

im namen dessen der tote erweckte
im namen des toten der auferstand:
wir protestieren gegen den tod von gustav e. lips (...)

Kurt Marti, Leichenreden

Lieder

Meine engen Grenzen	*EG 600 (Ausgabe Evangelisch-reformierte Kirche)*
Ich rede, wenn ich schweigen sollte	*EG 647 (Ausgabe Evangelische Kirche der Pfalz)*
Ich möcht', dass einer mit mir geht	*EG 209*
Bewahre uns Gott	*EG 171*
Wenn die Last der Welt dir zu schaffen macht	*EG 645 (Ausgabe Evangelische Kirche der Pfalz)*
Keinen Tag soll es geben	*HuT 213*

Florian Geith

DORI
DORI
Jonath

Dezember

Jauchzet, ihr Himmel; freue dich, Erde! Lobet, ihr Berge, mit Jauchzen! Denn der HERR hat sein Volk getröstet und erbarmt sich seiner Elenden.

Jesaja 49, 13 (L)

ALLE JAHRE WIEDER – GERECHTIGKEIT

Gedankensplitter

Die Botschaft, die dem Propheten Jesaja am Herzen liegt, steckt schon in seinem Namen: Jesaja heißt übersetzt „Gott hilft!".

In der Weihnachtszeit gibt es viele Wohltätigkeitsveranstaltungen, wir Menschen spenden im Dezember mehr als in den anderen Monaten. Statt uns sich darüber zu ärgern („Warum denn immer nur zu Weihnachten?"), könnten wir darüber froh sein. Wenigstens einmal im Jahr wird an die gedacht, die sonst nicht so sehr in unserem Blickfeld sind.

Advent hat mit adventure, Abenteuer zu tun – spüren wir etwas davon?

Mit einem Gott, der tröstet, kann man keine Kriege führen – Gott sei Dank!

Jesaja und Weihnachten

Das biblische Buch des Propheten Jesaja ist mit großer Wahrscheinlichkeit nicht von einer einzelnen Person verfasst. Es wird in der Regel in drei Teile untergliedert. Der Monatsspruch Jesaja 49, 13 gehört zu dem Abschnitt des Buches, der vermutlich Mitte des 5. Jahrhunderts v. Chr. entstanden ist.

Es ist die Zeit des Übergangs; die Perser mit ihrem König Kyrus erobern und besiegen die Babylonier. Diese hatten Teile des israelitischen Volkes nach Babylon verschleppt. In meinen Überlegungen wird es keine Rolle spielen, wer den Text verfasst hat, wohl aber die „politische Großwetterlage". Ob die Israeliten schon zurückgekehrt sind, als der Satz vom Jauchzen und Freuen gesagt wurde, ist offen, aber eher unwahrscheinlich. Vielleicht steht die Rückkehr nach Israel aber unmittelbar bevor.

Gott und die Armen

Es fällt auf, dass neben dem Volk (also den Israeliten insgesamt) noch ausdrücklich die Elenden genannt werden. Denn der Herr hat sein Volk getröstet und erbarmt sich seiner Elenden.

Wer sind die Elenden? Es sind, so kann man es auch übersetzen, die Armen, die Gebeugten. Neben allen geht es also im Besonderen noch um die Armen. In einer jüdischen Auslegung zu unserem Bibelvers heißt es: „Die Israeliten fragten den Heiligen, gelobt sei Er: ‚Wer ist Dein Volk?' Er antwortete: ‚die Armen'."

Jesus steht in dieser göttlichen Tradition. In seiner ersten Predigt im Lukasevangelium zitiert Jesus Sätze aus dem Jesajabuch, die in unmittelbarer Nähe zu Jesaja 49 stehen.

Jesaja und Weihnachten

Aus zwei Gründen ist es sinnvoll, Jesaja 49,13 dem Monat Dezember und damit der Advents- und Weihnachtszeit zuzuordnen.

1. Wir feiern zu Weihnachten die Geburt dessen, der sich später als junger Mann in die Tradition Jesajas und die Spur Gottes stellt: Jesus kümmert sich besonders um die Elenden, die Armen und Gebeugten.
2. Die Situation der Israeliten Mitte des 5. Jahrhunderts v. Chr. ist durch einen Gegensatz geprägt: Gott sagt Trost und neue Perspektiven zu – aber noch muss das Volk Israel unter der babylonischen Herrschaft leben. Auch wir kennen diesen Gegensatz: Wir glauben, dass mit Jesus Christus eine neue Zeit, ja sogar das Reich Gottes angebrochen ist – und wir sehen, dass die Welt so ganz anders ist, als wir uns das Reich Gottes vorstellen. Diese Erkenntnis wird in der Weihnachtszeit besonders lebendig.

Gerechtigkeit – jugendliche Gedanken

Jugendliche und junge Erwachsene haben im Sommer 2014 zusammen mit der Redaktion der Zeitschrift „weltbewegt“ eine Ausgabe zum Thema Gerechtigkeit gestaltet. Im Vorwort heißt es: „Gerechtigkeit ist ein Thema, das auch die junge Generation beschäftigt. Es ist nicht abstrakt, sondern etwas, das sie auch in ihrem Alltag erreicht und beschäftigt. Ein T-Shirt kann doch nicht so billig sein, ohne dass Menschen anderswo dafür ausgebeutet werden? Warum können viele Menschen auch hierzulande von ihrer Arbeit nicht leben? Warum klafft die Schere zwischen Arm und Reich immer weiter auseinander? Warum werden Flüchtlinge eingesperrt, nur weil sie bei uns in Frieden leben wollen? Tun wir genug? Wie kommen wir vom Wissen zum Handeln? Überhaupt, was ist Gerechtigkeit?“

Die folgenden Ausschnitte aus den Berichten der jungen Menschen sind sicher nicht repräsentativ. Aber sie stehen exemplarisch dafür, wie Jugendliche das Thema „Gerechtigkeit“, das beim Propheten Jesaja eine so große Rolle spielt, aufgreifen.

„Irgendwie“, schreibt *Lea (24)*, „hat Gerechtigkeit für mich viel mehr mit Fragen-Stellen als mit Antworten-Wissen zu tun.“

„Gerechtigkeit ist ein Begriff, der einem auf den ersten Blick so vertraut scheint. Nach genauerer Betrachtung kommt er einem aber so kompliziert und vielschichtig vor, dass man es kaum wagt, sich mit ihm auseinanderzusetzen.“ *(Ann-Catherine, 24)*

„Gerechtigkeit, das ist ein Thema, mit dem man früher oder später in Berührung kommt. Als Kind fand man es ungerecht, wenn man vor dem Zubettgehen keine Schokolade mehr essen durfte. In der Schulzeit war vieles ungerecht, oder es schien zumindest so. Bei einer schlechten Note wurde gegen den Lehrer gewettert, der die geniale Ausführung über dieses doofe Buch von Max Frisch nur nicht richtig verstanden hatte, und in der Mathearbeit hatte man doch nur mal ganz kurz zum Nachbarn herübergelinst, das war doch noch kein Spicken! Für Kinder in anderen Ländern ist es dagegen ungerecht, dass sie nicht einfach auf die Straße treten können, weil sie sich vor der Drogenmafia fürchten müssen. Gerechtigkeit ist subjektiv. Man engagiert sich zunächst für das, was einen selbst betrifft. Mit der Zeit verschiebt sich die Perspektive – und die Perspektive verschiebt sich. Letzten Endes muss jeder und jede für sich selbst eine Definition finden, was Gerechtigkeit bedeutet und wie man dafür kämpfen kann – vor allem, wofür man genau kämpfen möchte. Niemand kann allein jede Form der Ungerechtigkeit bekämpfen, aber viele verschiedene Menschen zusammen können etwas ändern. Eine meiner Lieblingsmetaphern dazu ist: ‚Was wäre ein Ozean, wenn nicht eine Ansammlung vieler Wassertropfen?‘ Jeder ist so ein Wassertropfen. Jeder kann Gerechtigkeit schaffen, egal wie klein die Schritte dorthin sind. Jeder Einzelne mehr ist ein Schritt in die richtige Richtung.“ *(Svea, 19)*

„‚Das ist ungerecht!‘ – Diese Aussage ist gerade aus Kindermund wohlbekannt und ertönte wohl auch in meiner Kindheit immer wieder. ‚Gerechtigkeit‘ unter fünf Geschwistern unterschiedlichen Alters ist meiner Meinung nach ein Ding der Unmöglichkeit, dennoch ermöglichte uns gerade das Bemühen darum, einen Sinn für Gerechtigkeit zu entwickeln. (...) Viele biblische Geschichten, von denen wir in unserer Kindheit hörten, erzählen von Gott, wie er seinem Volk Israel immer wieder Recht verschafft, und von Jesus, der diese Gerechtigkeit – und noch viel mehr die Barmherzigkeit – allen Menschen dieser Erde zuspricht. (...) Ich glaube, viele wollen die Ungerechtigkeiten nicht sehen. Was mich gerade im Hinblick auf globale (Un-)Gerechtigkeit betroffen macht, ist deren Unsichtbarkeit. Natürlich will ich nicht, dass meine Kleidung von Minderjährigen unter katastrophalen Arbeitsbedingungen am anderen Ende der Welt genäht wird, oder dass um die Rohstoffe, die in meinem Smartphone verarbeitet wurden, Bürgerkriege geführt werden. Wenn ich meine Kleidung oder mein Handy ansehe, merke ich nichts davon. (...) Ohne den Mund aufzutun, darf ich mich auch nicht beklagen, wenn alles so bleibt, wie es ist. Zum Glück gibt es noch viele, die sich über Ungerechtigkeit aufregen. Was gibt mir also angesichts einer derart komplexen und desillusionierenden Wirklichkeit noch Hoffnung? Dass ich nicht die Einzige bin, die sich an Ungerechtigkeit stört. Dass es immer wieder Menschen geben wird, die sich nicht scheuen, sich kreativ und tatkräftig in die Reihe der Propheten und „Meckerer“ zu stellen, um ein Stück der von Gott verheißenen Gerechtigkeit für alle Menschen Wirklichkeit werden zu lassen.“ *(Vera)*

„Wenn ich bei Wikipedia nach dem Begriff ‚Gerechtigkeit‘ suche, dann lese ich Folgendes: ‚Der Begriff der Gerechtigkeit bezeichnet einen idealen Zustand des sozialen Miteinanders, in dem es einen angemessenen, unparteilichen und einforderbaren Ausgleich der Interessen und der Verteilung von Gütern und Chancen zwischen den beteiligten Personen oder Gruppen gibt.‘ (...) Als besonders ungerecht empfinde ich persönlich zwei Dinge, die ich in Deutschland zu den schwerwiegenderen Ungerechtigkeiten zählen würde. Zum einen das zunehmende Auseinanderklaffen der Schere zwischen Arm und Reich und zum anderen den Umgang mit Flüchtlingen. Es kann nicht sein, dass auf der einen Seite wohlhabende Unternehmer immer reicher werden und sich Menschen auf der anderen Seite zusätzlich Geld vom Sozialamt holen müssen, weil das Verdiente nicht reicht, um alleine über die Runden zu kommen. Ebenso ungerecht finde ich das Hartz-

IV-System. Die Sozialleistungen, die zudem vom Wohlwollen der jeweiligen Regierung abhängen, sind offensichtlich kaum dafür geeignet, dass die Leistungsempfänger wieder auf eigene Füße kommen. Die meisten kommen doch aus dem Teufelskreis der Armut nicht mehr heraus. (...) Ist es gerecht, dass ich in einem so wohlhabenden Land wie Deutschland leben darf und andere nicht? Gehören die Welt und ihre Ressourcen nicht uns allen? Wer besitzt überhaupt das Recht zu sagen: ‚Ihr dürft hier nicht leben, ihr seid Ausländer?'" *(Sophie, 17)*

Wir könnten also im Grunde eine gerechte Welt entstehen lassen, wenn wir gar nicht erst versuchen würden, Gerechtigkeit zu interpretieren, sondern sie in uns wachsen lassen würden, durch Kontakt und Austausch, durch eigene Erfahrungen und lebendige Erzählungen anderer. *(Lisa)*

Zitate aus: weltbewegt, Ausgabe Juni/August 2014; Gerechtigkeit, Hrsg.: Zentrum für Mission und Ökumene

Gerechtigkeit und Weihnachten

„Gerechtigkeit – das ist ein Thema, mit dem man früher oder später in Berührung kommt", sagt Svea aus Hamburg. „Als Kind fand man es ungerecht, wenn man vor dem Zubettgehen keine Schokolade mehr essen durfte. Bei einer schlechten Note wurde gegen den Lehrer gewettert, der die geniale Ausführung über dieses doofe Buch von Max Frisch nur nicht richtig verstanden hatte. Für Kinder in anderen Ländern ist es dagegen ungerecht, dass sie nicht einfach auf die Straße treten können, weil sie sich vor der Drogenmafia fürchten müssen."

Die 19-jährige Svea ist in ihrem Freiwilligen Ökologischen Jahr auf das Thema „Gerechtigkeit" gestoßen.

Das gibt es schon immer. Viele Menschen erleiden Unrecht und kämpfen für Gerechtigkeit. Einer von ihnen hat vor über 2000 Jahren gelebt: der Prophet Jesaja. Er hat viel über Gerechtigkeit nachgedacht und gesagt. Zum Beispiel:

Jauchzet, ihr Himmel; freue dich, Erde!
Lobet, ihr Berge, mit Jauchzen!
Denn der Herr hat sein Volk getröstet
und erbarmt sich seiner Elenden.

(Jesaja 49, 13)

Warum war das nötig? Warum musste Gott sein Volk, die Israeliten, trösten? Was war passiert? Und: Hat das alles was mit uns zu tun? Mit der Advents- und Weihnachtszeit 2015?

Die Zeiten damals und heute lassen sich kaum vergleichen. Aber genauso wie heute gab es auch früher politische Verwicklungen, Kriege und Ungerechtigkeit. Die eine Volksgruppe bekämpft die andere bis aufs Blut. Regierende und Herrscher weiten ihren Machtbereich aus, mal durch Diplomatie, mal mit gewaltsamen Eroberungen. Zur Zeit Jesajas sind es die Großmächte Babylonien und Persien, die um die Herrschaft ringen – und das kleine Land Israel wird dabei zum Spielball der Mächtigen.

Und wer hatte darunter zu leiden? Genauso wie heute war es die Zivilbevölkerung, das „normale Volk", das die politischen Verirrungen auszubaden hatte. Noch schlimmer: Damals wie heute erwischt es im Krieg und in wirtschaftlich schwierigen Zeiten zuallererst diejenigen, denen es eh schon dreckig geht.

Deshalb musste das Volk getröstet werden.
Deshalb musste den Armen in Israel aus Mitleid geholfen werden.

Was fällt uns heute dazu ein? Wer muss bei uns getröstet werden? Mit wem empfinden wir Mitleid?

„Als besonders ungerecht empfinde ich persönlich zwei Dinge, die ich in Deutschland zu den schwerwiegenderen Ungerechtigkeiten zählen würde. Zum einen das zunehmende Auseinanderklaffen der Schere zwischen Arm und Reich und zum anderen den Umgang mit Flüchtlingen", so die 17-jährige Sophie.

Ja, ich habe Mitgefühl mit Menschen, die aus ihrer Heimat fliehen müssen und traumatisiert und verzweifelt nach Deutschland kommen.

Ja, wir haben Mitleid mit denen in unserem Land, die aufgrund der wirtschaftlichen Verhältnisse nicht mehr zurechtkommen. Und besonders die Kinder leiden darunter, dass am Ende des Geldes noch so viel Monat übrig ist.

Ja, auch uns fallen Menschen ein, die Trost und Mitleid dringend brauchen.

Deshalb ist es gut, dass alle Jahre wieder Weihnachten gefeiert wird. Warum? Weil uns Weihnachten wieder an Gott und an die Menschen erinnert, die Gott am Herzen liegen.

Weihnachten ist eine verrückte Geschichte: Gott kommt als kleines, unbedeutendes Kind zur Welt. Ein Mensch, Jesus, wird geboren, der später als junger Mann göttliche Worte spricht. Er will Gerechtigkeit! Er sagt: „Ich erzähle euch die frohe Botschaft für die Armen. Die Gefangenen und Unterdrückten sollen frei sein.“ (nach Lukas 14, 18)

Und dieser Jesus hat nicht nur geredet, er hat auch gehandelt. Er hat getröstet, und er hat Mitleid gehabt. Besonders mit denen, die in der Gesellschaft schlecht dastanden und die nichts wert waren aus Sicht der anderen.

Für mich ist die Advents- und Weihnachtszeit eine wichtige Zeit. Sie rüttelt mich auf. Sie sagt mir: guck genau hin! Wem geht es schlecht? In unserer Gesellschaft, in meiner Stadt in meinem näheren und weiteren Umfeld. Wo verbirgt sich Ungerechtigkeit?

Advent und Weihnachten sind mir wichtig, weil ich erinnert werde: Gott tröstet und Gott hat Mitleid mit uns! Wer darauf vertraut, sieht die Welt mit anderen Augen! Wer das weiß, kann so hoffnungsvolle Sätze sagen wie Svea, von der wir schon am Anfang gehört haben: „‚Was wäre ein Ozean, wenn nicht eine Ansammlung vieler Wassertropfen?‘ Jeder ist so ein Wassertropfen. Jeder kann Gerechtigkeit schaffen, egal wie klein die Schritte dorthin sind. Jeder Einzelne mehr ist ein Schritt in die richtige Richtung.“

Solche Sätze würden Jesaja gut gefallen. Vielleicht würde er darüber sogar jauchzen …

Jauchzet, ihr Himmel; freue dich, Erde! Lobet, ihr Berge, mit Jauchzen! Denn der Herr hat sein Volk getröstet und erbarmt sich seiner Elenden.

Amen.

Zitate aus: weltbewegt, Ausgabe Juni/August 2014; Gerechtigkeit, Hrsg.: Zentrum für Mission und Ökumene

Guter Gott,
Vieles ist so ungerecht:
Kindern fehlt das Nötigste zum Leben,
Jugendliche können keine Schule besuchen,
junge Erwachsene finden keinen Arbeitsplatz.
Wir wissen oft nicht, was wir gegen diese Ungerechtigkeit tun sollen.
Wie sollen wir das verändern?
Schenke du uns immer wieder die Gabe,
Mitleid mit anderen zu empfinden.
Gib uns, dass wir nicht aufhören,
uns für eine gerechte Welt einzusetzen.
Und das nicht nur zur Weihnachtszeit …
Amen.

Gerechtigkeit

In meiner Vision
lebt jeder Mensch in Frieden
ist jeder Mensch frei
hat jeder Mensch Rechte
kann jeder Mensch frei sprechen
darf jeder Mensch eine eigene
Meinung haben.
Menschen sollten
gleich behandelt werden
egal woher sie kommen,
wer sie sind,
wie ihr Name ist,
oder was ihre Identität ist.
Alle sollten gleichermaßen respektiert werden.
Jeder Mensch sollte die Freiheit haben zu wählen,
wo er leben will
wie er leben will
mit wem er leben will
was er lernen möchte
welchen Job er macht.
Alle sollen Respekt erfahren und in Freiheit
und Frieden leben.

Indho Mohamud Abyan

aus: weltbewegt, Ausgabe Juni/August 2014; Gerechtigkeit,
Hrsg.: Zentrum für Mission und Ökumene

Zeitansage

Es kommt eine zeit
da wird man den sommer gottes kommen sehen
die Waffenhändler machen bankrott
die Autos füllen die schrotthalden
und wir pflanzen jede einen baum

Es kommt eine zeit
da haben alle genug zu tun
und bauen die gärten chemiefrei wieder auf
in den arbeitsämtern wirst du
ältere leute summen und pfeifen hören

Es kommt eine zeit
da werden wir viel zu lachen haben
und gott wenig zum weinen
die engel spielen klarinette
und die frösche quaken die halbe nacht

Und weil wir nicht wissen
wann sie beginnt
helfen wir jetzt schon
allen engeln und fröschen
beim lobe gottes

ansteckungsgefahr

wer nicht immun ist
gegenüber der gleichgültigkeit
und einem gerechteren morgen entgegenfiebert
wer schwäche zeigt für jene am rand
und dem das haben kopfschmerzen bereitet
der hat sich angesteckt
mit jenem
beunruhigenden
aufrüttelnden
krippalen
infekt
der im tod
zum leben
führt.

aus: Thomas Schlager-Weidinger, sperrige nächte.
gedichte zu advent und weihnachten

DU

Mitten in unserer Welt – Du.
Zwischen Erdbebenopfern und Friedensgesprächen,
zwischen Bürgerkrieg und Liebesglück,
zwischen Weltbewegendem und Alltäglichem – Du.
Du, menschgewordener Gott,
inmitten dieser Welt willst du uns Menschen begegnen.

Mitten in meinem Leben – Du.
Zwischen Weckerklingeln und Tagesthemen,
zwischen Schreibtisch und Waschmaschine,
zwischen Wichtigem und Nebensächlichem – Du.
Du, mein Gott,
inmitten meines Lebens willst du mir begegnen.

Du hast dich entschieden –
für diese Welt, für uns Menschen, für mich.
Hast dich entäußert all deiner Gewalt,
hast dich klein gemacht, um Mensch zu sein.
So machst du das Menschsein groß.
Danken will ich dir und dich und dein Menschwerden feiern –
heute und alle Tage meines Lebens.

Ursula Schauber, aus: Susanne Ruschmann (Hg.), In dir tanzt das Licht. Advent und Weihnachtszeit, Reihe Feiern im Jahreskreis: Ideen, Materialien, Inspirationen. Band 17

Aktion

Adventliche Übungen für vier Tage

1. Heute will ich besonders darauf achten, was mich traurig macht. In welcher Situation wünsche ich mir, dass jemand Mitleid mit mir hat? Was kann mich trösten? Kann ich einen anderen um Trost bitten?
2. Heute will ich besonders darauf achten, wo ich mit einer anderen/einem anderen Mitleid habe. Wer braucht meinen Trost? Wem kann ich helfen, dass er gerecht behandelt wird? Kann ich meine Hilfe anbieten?
3. Heute will ich besonders darauf achten, wo Ungerechtigkeit geschieht. Ich lese dafür eine Zeitung oder informiere mich im Internet oder in einem sozialen Netzwerk. Kann ich etwas gegen das Unrecht tun? Mit wem müsste ich mich zusammenschließen?
4. Heute will ich meine Aufmerksamkeit besonders auf das Gute, auf die good news richten. Wo klappt es mit dem Zusammenleben von Menschen? Wer hat sich eingesetzt für eine gute Sache? Das Gute kann in meinem engsten Umfeld passieren oder auch in der großen weiten Welt.

Lieder

Atem des Lebens	*HuT 59*
Bethlehem, du kleine Stadt	*HuT 15*
Caminando va	*HuT 327*
Da berühren sich Himmel und Erde	*HuT 332*
Der Müden Kraft	*HuT 85*
Lass uns den Weg der Gerechtigkeit gehen	*HuT 356*
Vertrauen wagen	*HuT 369*
Die Erde ist des Herrn	*HuT 380*

Bernhard Schmeing

AUTORINNEN UND AUTOREN

Martin Bahlmann

geb. 1966, von 2007 bis August 2014 Landesjugendpfarrer für die Arbeit mit Kindern und Jugendlichen der Evangelischen Landeskirche Anhalts, zuvor: 1998–2007 Kreisjugendpfarrer für den Kirchenkreis Zerbst.

Tobias Bilz

geb. 1964, seit 2007 Landesjugendpfarrer der Evangelisch-Lutherischen Landeskirche Sachsens, zuvor: 1991–2007 als Pfarrer in Erlbach-Kirchbach und sechs Jahre nebenamtlich als Jugendpfarrer im Kirchenbezirk Stollberg tätig.

Wolfgang Blaffert

geb. 1958, seit 2006 Referent für Theologie, Jugendforschung und Fortbildung im Landesjugendpfarramt der Evangelisch-Lutherischen Landeskirche Hannovers, zuvor: 1996–2005 Pfarrer der Deutschen Evangelischen Kirche in Den Haag, Niederlande, zuvor: 1990–1996 Pastor in Schmedenstedt, Kirchenkreis Peine.

Lars Dedekind

geb. 1968, seit 2011 Landesjugendpfarrer in der Evangelisch-Lutherischen Landeskirche in Braunschweig, zuvor: 2008–2011 Regionalbeauftragter des niedersächsischen Missionswerks für Mission und Ökumene in der Landeskirche Braunschweig, Religionslehrer und Schulpfarrer an einer internationalen Schule in Indien.

Simone Enthöfer

geb. 1968, seit 2008 Landesjugendpfarrerin der Evangelischen Kirche im Rheinland (EKiR), zuvor 1997–2008 Pfarrerin in Wuppertal-Cronenberg, 2006–2008 Mitglied im Kreissynodalvorstand Wuppertal mit dem Schwerpunkt Jugend.

Dr. Sven Evers

geb. 1971, seit 2011 Landesjugendpfarrer in der Evangelisch-Lutherischen Kirche in Oldenburg, zuvor: 2000–2011 u. a. wissenschaftlicher Mitarbeiter an der Universität Oldenburg und Gemeindepfarrer in der Wesermarsch.

Florian Geith

geb.1965, seit 2012 Landesjugendpfarrer in der Evangelischen Kirche der Pfalz, zuvor: 2002–2012 Gemeindepfarrer in Ludwigshafen am Rhein, Kirkel.

Andreas Holtz

geb. 1962, 2013–2014 Landesjugendpfarrer des Kinder- und Jugendpfarramts der Evangelischen Kirche in Mitteldeutschland (EKM), zuvor: 2004–2013 Pfarrer in Gommern (Kirchenkreis Elbe-Fläming) und Leinefelde (Kirchenkreis Mühlhausen).

Ekkehard Kirchner

geb. 1963, von 2008–2014 Landesjugendpfarrer für die Arbeit mit Kindern und Jugendlichen der Evangelischen Kirche Berlin-Brandenburg-schlesische Oberlausitz, zuvor: 1998–2008 Gemeindepfarrer in Strausberg bei Berlin, verheiratet, 3 Kinder.

Tilman Lautzas

geb. 1957, seit 2008 Landesjugendpastor im Landesjugendpfarramt der Nordelbischen Evangelisch-Lutherischen Kirche, zuvor: 1998–2008 Pastor der Kieler Michaelis-Gemeinde und der Kieler Kirchengemeinde St. Markus.

Dr. Thomas Schalla

geb. 1963, seit 2008 Landesjugendpfarrer der Evangelischen Landeskirche in Baden, zuvor: 1999–2008 Gemeindepfarrer in Karlsruhe. Er ist Vater von drei Söhnen, begeisterter Fußballspieler und Krimiseher.

Bernhard Schmeing

geb. 1962, seit 2008 Landesjugendpastor der Evangelisch-reformierten Kirche, zuvor: 1997–2008 Pastor in der Kirchengemeinde Brandlecht.

Bernd Wildermuth

geb. 1957, seit 2008 Landesjugendpfarrer der württembergischen Landeskirche, zuvor: von 2005–2008 Landesschüler(innen)-pfarrer im ejw (Evangelisches Jugendwerk in Württemberg) und von 2000–2004 Projektreferent im ptz (pädagogisch-theologisches Zentrum der württembergischen Landeskirche) für die Neuordnung der Konfirmand(inn)enarbeit in Württemberg. Davor Gemeindepfarrer in Eckenweiler (Dekanat Tübingen) und Sindelfingen.